TABLA DE
CALORÍAS Y GRASAS

Colección **HERAKLES**

Ulrich Klever

TABLA DE CALORÍAS Y GRASAS

CALORÍAS Y CONTENIDO EN GRASAS DE ALIMENTOS,
DE PLATOS Y DE PRODUCTOS PREPARADOS

CÓMO DISFRUTAR DE LA COMIDA, VIGILANDO SU PESO

RECOMENDACIONES PARA COMER FUERA DE CASA

EDITORIAL HISPANO EUROPEA S. A.

Asesor Técnico: **Santos Berrocal.**

Título de la edición original: **GU Kompass,
Kalorien & Fette.**

© de la traducción: **Enrique Dauner.**

Es propiedad, 2002
© **Gräfe und Unzer GmbH (Munich).**

© Fotografías: **Studio Schmitz.**

© de la edición en castellano, 2004:
Editorial Hispano Europea, S. A.
Primer de Maig, 21 - Pol. Ind. Gran Via Sud
08908 L'Hospitalet - Barcelona (España)
E-mail: hispanoeuropea@hispanoeuropea.com

Depósito Legal: B. 11389-2004.

ISBN: 84-255-1514-9.

Consulte nuestra web:
www.hispanoeuropea.com

IMPRESO EN ESPAÑA   PRINTED IN SPAIN

RAF IMPRESORES, S. L. - Farigola 12, Nave 13 - 08755 Castellbisbal (Barcelona)

ÍNDICE

MEDIDAS Y ABREVIATURAS EMPLEADAS EN ESTE LIBRO

Medidas útiles:

1 litro	= 100 cl = 1.000 ml = 1 kg
0,1 l	= 10 cl = 100 ml = 100 g
1 CT	= 1 cucharadita = aprox. 5 g de líquido = 5 g de sólido
1 CS	= 1 cucharada sopera = 15-20 g de líquido = 10-20 g de sólido
1 plato sopero	= 250 mg = 16 CS
1 taza de medida	= 125 ml = 8 CS
1 taza hasta el enrase	= 150 ml
1 «chupito»	= 2 cl
1 vaso de cocktail	= 1 vaso de vino = 4 cl
1 copa de cava	= 0,1 l = 10 cl = 100 ml
1 vaso de agua o de zumo	= 0,2 l
0,25 l de salsa, casera o comercial	= 250 ml

Datos de algunos alimentos de uso frecuente:

Líquidos espesos como crema de leche o ketchup 1 CS = 25 g

Cereales integrales 1 CS = 20 g

Coco rallado, nueces picadas 1 CS = 10 g

Mermelada 1 CT = 10 g

Semillas de lino, sésamo y pipas de girasol peladas 1 CS = 15 g

Mayonesa 1 CS = 30 g

Aceite 1 CS = 10 g

Compota o puré 1 CS = 40 g

Nata 1 CS = 10 g

Al mencionar cucharadas y cucharaditas siempre se entiende el volumen del cubierto lleno hasta el enrase.

Pan, 1 rebanada = 40 g

Pastelillos en envase comercial = 16 piezas

Pasteles de frutas = 12 piezas

Maizena, preparada según instrucciones = 4 porciones = 0,5 l

Otras abreviaturas y sus significados:

GL = congelado

PP = producto preparado

HM = harinas y mezclas de harinas para hornear y cocinar, preparadas según las instrucciones que acompañan al producto

pr = de promedio

v.t. = Ver también

VN = Valor nutricional

kcal = kilocalorías

P = muy rico en proteínas – consumo preferente

G = muy rico en grasas – consumir con precaución

H = rico en carbohidratos – consumir con moderación

M = muy rico en minerales – consumo preferente

V = muy rico en vitaminas – consumo preferente

B = rico en fibra-consumir cuando sea necesario bajo en calorías = aporte calórico reducido

PRÓLOGO

¡Para mantenerse sano y delgado!

Con esta *Tabla de calorías y grasas* no le costará nada ahorrar calorías y conservar su figura. Rápidamente puede ver qué alimentos son verdaderas «bombas de calorías» y cuáles son muy ricos en grasas. Esta guía de calorías y grasas pone a su alcance más de 8.000 datos de sumo interés. Hace más de 25 años que es un verdadero bestseller y los más de dos millones y medio de ejemplares vendidos hasta la fecha en Europa han sido de gran utilidad para sus lectores.

¡Pequeña, manejable y con mucha información!

Hay que tener en cuenta el aporte calórico desde el momento de efectuar la compra. Por lo tanto, llévese esta guía en el bolsillo cuando vaya al supermercado. ¿O sabía ya que el queso fresco normal tiene el doble de calorías y casi 40 veces más grasas que el mismo producto en versión «light»? Al cocinar y condimentar los alimentos también podemos reducir enormemente la cantidad de grasas. Por ejemplo: la cucharada de aceite que añade a la salsa para aliñar la ensalada contiene más calorías que toda la fuente de ensalada. Por lo tanto: es imprescindible saber identificar de inmediato todos los alimentos ricos en calorías y en grasas, tanto al ir a comprar, como en casa o en un restaurante.

¡Sugerencias actualizadas para su nutrición!

¿Cuántas calorías necesito yo a diario? ¿Qué se entiende por una alimentación sana y equilibrada? Las respuestas a estas cuestiones las encontrará en los capítulos de introducción. También encontrará sugerencias acerca de la nutrición totalmente actualizadas según los últimos avances científicos. Se han tenido en cuenta además las más recientes normas de la DGE («Deutsche Gesellschaft für Ernährung», Sociedad Alemana para la Alimentación) respecto al aporte calórico.

CÓMO UTILIZAR LAS TABLAS

En esta edición se han actualizado los aportes calóricos y contenidos en grasas de los distintos alimentos y bebidas que se relacionan en las tablas.

Las tablas incluyen:
➤ Todos los alimentos básicos.
➤ Productos dietéticos y light.
➤ Frutas y verduras exóticas.
➤ Nuevos productos de la industria alimentaria.
➤ Bebidas alcohólicas y sin alcohol.

Los aproximadamente 8.000 datos de calorías y contenido en grasas que se citan están distribuidos en **dos grandes tablas:**

➤ Alimentos y bebidas de la A a la Z (Páginas 22 a 83).
➤ Comer fuera de casa (Páginas de la 84 a la 96).

SUGERENCIA
Oriéntese siempre por una sola tabla: en las tablas de calorías y grasas de otros libros es posible que encuentre valores distintos. Esto puede deberse al empleo de diferentes métodos analíticos o a ligeras variaciones en las recetas. Pero no es ningún problema, porque los valores tampoco llegan a diferir mucho. Pero cuidado: No emplee nunca varias tablas a la vez para ver cuál es la que le indica unos valores más reducidos. No haría más que engañarse a sí mismo.

ASÍ TIENE QUE UTILIZAR LAS TABLAS
➤ Para facilitarle el empleo de las tablas, todas las entradas están en orden alfabético o agrupadas por expresiones genéricas. Los diversos tipos de helados los encontrará en la «H» de «Helado».

El ejemplo de los caramelos:

El aporte calórico de los caramelos es el del azúcar que contienen. Calcúlelo directamente partiendo de su peso.

➤ En el caso de que no encuentre un alimento concreto, emplee el valor de otro que se le parezca mucho.

➤ Si no puede establecer con precisión el contenido en calorías y grasas de un alimento, o existen varios productos similares, se ofrecen los promedios (pr).

➤ Cuando consulte la columna «grasa» (g) no busque ningún valor concreto, sino un *, lo que le indicará que en ese alimento, y en la porción indicada, los lípidos solamente están presentes en forma de trazas.

➤ Si encuentra que, para un mismo producto, los valores indicados en este libro difieren ligeramente de los que encuentra en otras tablas de nutrientes, ello puede deberse a que los alimentos o los productos elaborados sean de diferente procedencia o a las proporciones empleadas por cada fabricante.

➤ A pesar de que los productos que aparecen en estas tablas son los de empleo más común, su aplicación puede hacerse extensiva a todo el mundo.

➤ A menos que se exprese lo contrario, los valores indicados para alimentos congelados o preparados se refieren al alimento antes de cocinarlo.

ADVERTENCIA

Naturalmente, cuando hablamos de calorías nos referimos a kilocalorías (kcal).

MEDIDAS Y CANTIDADES
CON LAS QUE PUEDE CALCULAR

Siempre se indican las cantidades exactas para cada alimento y para cada bebida; solamente así es posible calcular las calorías con precisión.

ADVERTENCIA

Si no se indica la cantidad, considere que el valor se refiere a 100 gramos de la parte comestible del alimento. Esto significa: verduras limpiadas, carne deshuesada, pescado sin espinas, etc.

➤ En muchos alimentos y bebidas encontrará casi siempre las cantidades que se suelen adquirir habitualmente para el consumo doméstico. Estas cantidades significan: alimentos crudos con cáscaras, piel, huesos, espinas o semillas.

➤ Para evitarle cálculos pesados, las medidas de condimentos (como por ejemplo aceite, vinagre, salsas, ketchup, etc.) y mermeladas se expresan en cucharaditas o cucharadas, mientras que en otros alimentos (como por ejemplo pan, embutidos, chocolate, etc.) empleamos rebanadas o piezas.

➤ En las **verduras,** junto a los contenidos en calorías y grasas de 100 gramos de materia comestible se indican los contenidos para 500 gramos de producto fresco (en bruto).

➤ En las **frutas** encontrará los valores para 100 gramos de materia comestible, para 500 gramos de producto en bruto, y por pieza indicando su peso promedio.

➤ En la **carne** se hace referencia a 100 gramos de parte comestible. En el pescado se calculan 100 gramos de parte comestible por cada 200 gr de producto fresco.

➤ Los valores de las **bebidas** alcohólicas y no alcohólicas se expresan respecto a las medidas habituales de litros, centilitros o mililitros. Algunos licores o cocktails también pueden contener grasas. Por desgracia no disponemos de valores fiables, por lo que en el lugar indicado de la columna aparece un «0».

➤ En todos los productos **congelados (GL)** en cuyo envase se indique «para 2-3 raciones» siempre calcularemos 2 raciones porque nos parece un valor más realista. En muchos casos también se indica el valor en gramos.

➤ En las **harinas de repostería y mezclas de harinas para hornear (HM)** siempre se calcula una porción del pastel preparado según las instrucciones del fabricante.

➤ En los **puddings, cremas, postres preparados** y productos similares, el valor nutricional que se indica es siempre el del contenido del envase dividido por el número de raciones que en él se recomienda.

ADVERTENCIA

Al principio de este libro encontrará un resumen de las unidades de medida y las abreviaciones empleadas en este libro.

¿CUÁNTAS CALORÍAS NECESITA CADA DÍA?

Todos nosotros necesitamos un aporte de energía para poder vivir. Nuestro organismo obtiene esta energía de los alimentos que consumimos. Los transforma en calor, para poder mantener la temperatura corporal constante a unos 37 °C, o en electricidad, para que funcione el sistema nervioso. La energía que obtenemos de los alimentos también nos es imprescindible para caminar, para respirar y para reír. Nuestro organismo transforma los alimentos en energía mediante una serie de procesos de combustión que conocemos como metabolismo.

LOS PRINCIPALES SUMINISTRADORES DE ENERGÍA

Los tres nutrientes básicos son los **carbohidratos,** las **proteínas** y las **grasas** (lípidos), y desempeñan diversas funciones en nuestro organismo. Al ser metabolizados proporcionan diversas cantidades de energía (aporte energético). En la siguiente tabla podrá ver las principales funciones de los nutrientes básicos en el organismo y el número de calorías por gramo que aportan.

¿Qué es una caloría?

Se puede calcular y medir la energía que contiene un alimento. Esta energía se mide en kilocalorías (kcal) o en kilojulios (kj). 1 kcal es la energía necesaria para elevar en 1°C la temperatura de 1 litro de agua. Dado que habitualmente se expresan los datos en kilocalorías, en las tablas hemos prescindido de los valores en kilojulios.

¿POR QUÉ ENGORDA EL EXCESO DE CALORÍAS?

El cuerpo no puede eliminar el exceso de energía con la misma facilidad con que se desprende, por ejemplo, del exceso de agua. Si consumimos más de lo que nuestro organismo necesita para respirar, para mantener la

	Principales funciones en el organismo	Aporte energético por gramo
Carbohidratos	Suministro de energía	4 kcal
Proteínas	Elementos básicos para la síntesis de células de músculos, tendones y cartílagos así como hormonas y enzimas	4 kcal
Grasas	Aporte y almacenamiento de energía; estructural, aislante térmico, transporte de vitaminas liposolubles	9 kcal

circulación sanguínea, para efectuar los movimientos musculares, para asegurar la reproducción celular, etc., entonces el exceso de energía se transforma en grasas. La naturaleza ha previsto la acumulación de este tejido graso como reserva energética de emergencia para tiempos de escasez. De esta forma, el exceso de calorías engorda.

ADVERTENCIA

¡Vale la pena ahorrar grasas! La energía responsable del sobrepeso es el aporte total procedente del consumo de carbohidratos, proteínas y grasas. Sin embargo, hay que tener la precaución de no ingerir demasiadas grasas porque su aporte energético de 9 kcal por gramo es más del doble que el de los carbohidratos y las proteínas (4 kcal por gramo).

Cuidado con el alcohol: El consumo excesivo de alcohol no sólo es perjudicial para la salud, sino que también es el responsable de la característica «barriga de bebedor». Motivo: el aporte energético del alcohol es de aproximadamente 7 kcal por gramo, por lo que es muy superior al de los carbohidratos o las proteínas.

ENERGÍA QUE NECESITAMOS A DIARIO

El aporte energético diario que necesita una persona depende de sus necesidades básicas, de su trabajo y del aumento en la producción de calor corporal a causa de la digestión de determinados alimentos.

Ejemplos de necesidades energéticas básicas:

Mujer, 19 años de edad, 58 kg de peso: 1.460 kcal/día
Mujer, 65 años de edad, 55 kg de peso: 1.170 kcal/día
Hombre, 19 años de edad, 67 kg de peso: 1.820 kcal/día
Hombre, 65 años de edad, 68 kg de peso: 1.410 kcal/día

1. La **cantidad básica** es la energía necesaria para mantener con vida el cuerpo en estado de reposo. Varía en función de la edad, del sexo, del peso, de la altura y de la proporción de tejido graso. Los hombres tienen menos proporción de tejido graso que las mujeres y necesitan más energía. La cantidad básica va disminuyendo con la edad porque, a lo largo de los años, se han ido acumulando algunos gramos de grasa de forma totalmente natural. Los ancianos necesitan un menor aporte energético.
2. La energía para el **trabajo** es el aporte energético que necesita el organismo para efectuar cualquier tipo de trabajo. El que tiene un trabajo o una afición que le obliga a mantener una gran actividad física, es decir, que hace trabajar mucho sus músculos, necesitará mucha más energía que la persona que se pasa el día sentada ante un escritorio para luego relajarse unas cuantas horas ante el televisor. El resumen de las páginas 16-17 le muestra las cantidades supletorias de energía que son necesarias para las distintas actividades.
3. El cuerpo pierde parte de la energía de los alimentos en forma del **aumento de la producción de calor** producido por la digestión: el organismo tiene que transportar y almacenar la energía que obtiene de los alimentos. En este proceso se genera un calor, energía, que el cuerpo no puede aprovechar para el metabolismo ni para el trabajo muscular.

ADVERTENCIA

Estos valores son aplicables a personas con un peso normal (ver IMC en la página 18). Si el peso es superior o inferior, habrá que consumir menos o más energía. Pesándose con regularidad podrá establecer con precisión sus propias necesidades energéticas.

De todos modos, esta pérdida no es más que un 12 % de la suma de las energías básica y de trabajo.

La suma de estos tres valores nos da la necesidad energética personal. La cantidad necesaria en cada caso no depende solamente de edad, sexo, altura, peso, etc., sino principalmente de la actividad física que se realiza (consumo de trabajo). ¿Cuánta energía necesitamos a diario? La tabla de las páginas 14-15 le proporcionan unos valores orientativos en función de la actividad física en distintas ocupaciones.

VALORES ORIENTATIVOS PARA UN APORTE ENERGÉTICO MEDIO

Los siguientes valores orientativos son aplicables para personas del sexo masculino (m) y femenino (f) con un peso normal y su correspondiente actividad física.

Edades	kcal/día		kj/día	
	m	f	m	f
Bebés y niños con una actividad física media				
Bebés				
0-3 meses	500	450	2.000	1.900
4-12 meses	700	700	3.000	2.900
Niños				
1-3 años	1.100	1.000	4.700	4.400
4-6 años	1.500	1.400	6.400	5.800
7-9 años	1.900	1.700	7.900	7.100
10-12 años	2.300	2.000	9.400	8.500
13-14 años	2.700	2.200	11.200	9.400

Los deportistas y las personas que realizan un trabajo físico duro necesitan más energía

➤ Los que realicen un trabajo de 30 a 60 minutos 4 o 5 veces a la semana necesitan, según su edad y sexo, un incremento en el aporte calórico diario de 350 a 550 kcal.

SU PESO IDEAL Y SU SALUD

	IMC para hombres	IMC para mujeres
Peso inferior al normal, menos de	menos de 20	19
Peso normal	20-25	19-24
Ligero sobrepeso	25-30	24-30
Obesidad	30-40	30-40
Obesidad extrema, más de	más de 40	40

Ligero sobrepeso –de hecho no es ningún problema:

Si usted tiene un ligero exceso de peso (IMC de 24-30 para las mujeres; IMC de 25-30 para los hombres), pero por lo demás está sano y se siente a gusto con su cuerpo y su figura, desde el punto de vista médico no hay ningún motivo para que tenga que adelgazar. Tenga también en cuenta que, en gran parte, el sobrepeso se debe a una propensión natural de cada uno y no solamente a tener hábitos alimenticios equivocados. Y a esto hay que añadir que el peso aumenta ligeramente de forma natural con el paso de los años. Es un proceso completamente normal: La masa muscular disminuye progresivamente a la vez que aumenta ligeramente la cantidad de tejido graso.

ADVERTENCIA

Las causas hereditarias no han de ser una excusa para comer de forma desmedida. Con una cierta actividad física y una elección cuidadosa de los alimentos es fácil perder un par de kilos.

Ligero sobrepeso –casos en los que hay que perder peso:

➤ Si su origen está en una enfermedad, como por ejemplo diabetes, hipertensión o trastornos metabólicos.
➤ Si presenta una propensión hereditaria hacia estas enfermedades.

SUGERENCIA

En caso de duda, consulte a su médico para establecer cuál es el peso ideal que usted debe mantener o alcanzar para conservar su salud y sentirse realmente a gusto. **Cuidado con la obesidad:** Si su IMC es superior a 30 es imprescindible que consulte a su médico. Es urgente que empiece a perder peso.

En estos casos, un ligero exceso de peso puede ser perjudicial para su salud con consecuencias graves para su aparato cardiovascular tales como arteriosclerosis, infarto, o colapso.

ASÍ COMERÁ DE FORMA SANA

Variada, pero sin excesos

Ésta es la regla principal para una alimentación sana, y esto implica:

➤ Consumir los nutrientes básicos (carbohidratos, proteínas y grasas) en una proporción equilibrada.

➤ Seguir una dieta lo más variada posible para asegurar el aporte de la fibra, los minerales, las vitaminas y los oligoelementos que necesita nuestro organismo.

➤ Coma lo suficiente como para que su peso no sea ni demasiado elevado ni demasiado bajo.

RELACIÓN CORRECTA DE LOS NUTRIENTES BÁSICOS

Carbohidratos
Deberían proporcionar más del 50 % de las calorías totales.

Consúmalos principalmente en forma de fruta y verdura frescas, patatas, hortalizas, copos de cereales, arroz, pan y pasta.

La **fibra** también está compuesta por carbohidratos. Se encuentran principalmente en los productos de grano integral y proporcionan una defecación regular y un intestino sano a la vez que regulan la concentración de grasas en la sangre. Dado que sacian mucho el apetito también ayudan a ahorrar calorías.

Proteínas
De ellas debemos obtener aproximadamente el 10 % de las calorías.
Consuma unos 2/3 de proteínas vegetales, por ejemplo lentejas, copos de avena, pan integral, patatas o arroz, y 1/3 de proteínas de origen animal, como por ejemplo carne, pescado, leche, queso o huevos.

Grasas

No deberían proporcionar más del 30 % de las calorías totales.
Forma rápida de detectar los alimentos demasiado grasos: En la tabla, todos los alimentos cuyo contenido graso es superior al 30 % están señalados con una «G».
Cuidado con las grasas ocultas en distintas variedades de quesos grasos, carnes, embutidos, y también en salsas, cremas, pasteles, bollería y repostería.
¡Los productos «light» no siempre son bajos en calorías! Estos productos quizá contengan un escaso porcentaje de grasas, pero esto no implica necesariamente que sean bajos en calorías. Elija preferentemente productos que sean ligeros por naturaleza, como cereales, patatas, fruta, verduras y productos lácteos bajos en grasas.

SEA CONSCIENTE DE LO QUE COME DESDE LA MAÑANA HASTA LA NOCHE

➤ **Desayuno:** lo ideal es tomar muesli, fruta, verdura y pan integral con algo de queso fresco, queso o embutido. Los que desayunen poco o nada no deben permanecer en ayunas hasta la hora del almuerzo, sino que deberán comer algo entre horas.

➤ **Las comidas intermedias** son especialmente importantes si en ellas se consumen principalmente fruta o productos lácteos. De esta forma se evita que baje el rendimiento y que se produzca una sensación de hambre que suele ser incontrolable. Pero cuidado: a lo largo del día no debe comer más cantidad de la necesaria para obtener la energía que necesita.

➤ **La cena** deberá ser ligera y no demasiado abundante porque la digestión se ralentiza por la noche.

Debería tener esto muy en cuenta:

➤ Es imprescindible evitar picar inconscientemente dulces y galletitas y similares (por ejemplo, viendo la televisión).

➤ Preste atención a lo que come y cuide que su menú incluya casi siempre ensalada fresca, verdura y fruta.

➤ Emplee esta guía para determinar el aporte energético de los alimentos que consume. Los que comen de forma responsable disfrutan más de los alimentos y saben cuándo su cuerpo ya tiene suficiente.

ALIMENTOS Y BEBIDAS
DE LA «A» A LA «Z»

A menos que se indique lo contrario, los valores expresados se refieren a 100 gramos de la parte comestible del producto.

A

	kcal	Grasa g	VN
Abrojo acuático	75	0,3	
Acedera	21	0,4	MV
ACE-Drink, Müller, 500 ml	270	*	V
Aceite	819	91	G
Aceite, 1 CS	82	9	G
Aceite, 1 CT	32	3,6	G
Aceite de almendra	819	91	G
Aceite de almendras amargas, 1 botellín	18	1,8	G
Aceite de amapola	819	91	G
Aceite de avellana	819	91	G
Aceite de cacahuete, 1 CS	82	9	G
Aceite de cacahuete	819	91	G
Aceite de cañamones	819	91	G
Aceite de cardo	895	99	G
Aceite de cardo, 1 CS	82	9	G
Aceite de cardo, 1 CT	25	3	G
Aceite de germen	819	91	G
Aceite de germen, 1 CS	82	9	G
Aceite de germen, 1 CT	32	3,6	G
Aceite de germen de maíz	819	91	G
Aceite de germen de maíz, 1 CS	82	9	G
Aceite de germen de trigo	819	91	G
Aceite de germen de trigo, 1 CS	82	9	G
Aceite de girasol	819	91	G

	kcal	Grasa g	VN
Aceite de girasol, 1 CS	82	9	G
Aceite de girasol, 100 ml	828	91	G
Aceite de hígado, 1 CS	135	15	G
Aceite de lino	819	91	G
Aceite de lino, 1 CS	82	9	G
Aceite de nueces, 1 CS	82	9	G
Aceite de nueces	819	91	G
Aceite de nuez de macadamia	819	91	G
Aceite de oliva virgen	819	91	G
Aceite de oliva	897	99,6	G
Aceite de oliva, 1 CS	89	9,9	G
Aceite de oliva, extra virgen	819	91	G
Aceite de semillas de uva	819	91	G
Aceite de semillas de calabaza	819	91	G
Aceite de semillas de calabaza, 1 CS	82	9	G
Aceite de sésamo	819	91	G
Aceite de sésamo, 1 CS	82	9	G
Aceite de soja	899	99,9	G
Aceite de soja, 1 CS	89	9,9	G
Aceite vegetal light	828	92	G
Aceite vegetal light, 1 CS	83	9	G
Aceitunas con almendras, 1 pieza	13	2	G

VN = Valor nutricional
G = muy rico en grasas – consumir con precaución
M = muy rico en minerales – consumo preferente
B = rico en fibra – consumir cuando sea necesario

P = muy rico en proteínas – consumo preferente
H = rico en carbohidratos – consumir con moderación
V = muy rico en vitaminas – consumo preferente

ALIMENTOS Y BEBIDAS DE LA «A» A LA «Z»

A

	kcal	Grasa g	VN
Aceitunas negras	351	35	G
Aceitunas verdes, adobadas	133	13	GM
Aceitunas verdes, 10 piezas	56	6	GM
Acelgas frescas, 500 g	56	1,2	V
Acelgas	14	0,3	V
Acerola	39	0,2	V
Acerolate, 0,1 l	65	0,3	V
Acitrón	276	0,8	H
Actimel bebible, Danone, distintas variedades, pr	88	1,5	H
Actimel yogur, Danone distintas variedades, pr	100	2,6	H
Achicoria fresca, 500 g	71	0,9	MV
Achicoria	16	0,2	MV
Aderezo para ensalada con hierbas aromáticas, 1 CS	53	5	G
Aderezo para ensalada, Knorr, 1 bolsa	24	*	
Aderezo para ensalada, Knorr, 1 bolsa, listo para usar, pr	295	30	G
After Eight, 1 tableta	34	1	H
After Eigth Collection 1 pastilla, pr	42	3	H
Agalla del pino (seta)	132	8	GH
Agnolotti, GL, Eismann	196	4	
Agua de frambuesas, (2 CS de jarabe), 0,2 l	80	*	H
Agua de limón, 0,2 l	95	0	
Agua de mesa	0	0	
Agua de soda	0	0	
Agua mineral	0	0	
Aguacate, 1 pieza, 200 g	398	42	GV
Aguardiente Cruz de Malta, 43 %, 2 cl	39	0	
Aguardiente de fruta, 38 %, 2 cl	47	0	

	kcal	Grasa g	VN
Aguardiente de vino, 0,2 l, pr	195	0	
Aguardiente de vino, 39 %, 2 cl, pr	40	0	
Aguardiente	220	0	
Ajo, 1 diente	3	0	MV
Albahaca y olivas maceradas en aceite	891	99	G
Albaricoque	36	0,1	MV
Albaricoque, 1 pieza, 50 g	18	*	MV
Albaricoques en almíbar	240	0,5	H
Albaricoques en lata	93	0,2	H
Albaricoques secos	305	0,7	BH
Albaricoques secos, 4 medios frutos	52	0,1	BH
Albóndigas de carne picada con verdura y colirrábano	77	5,2	GH
Albóndigas de carne picada	292	12	G
Albóndigas de hígado, 2 albóndigas, 200 g	110	5	GH
Albóndigas de levadura con mezcla de azúcar de amapola, GL, Iglo	298	5	GH
Albóndigas de patata, mitad y mitad, PP, pr	169	0,8	H
Albóndigas de patata, cocidas, PP, 1 ración, pr	178	0,8	H
Albóndigas de patata, crudas, FP, pr	195	0,8	H
Albóndigas hervidas, 1 pieza, pr	100	0,5	H
Albondiguillas	310	23	GH
Albondiguillas, mitad y mitad, 1 ración	169	0,8	H
Albondiguillas, mitad y mitad, en polvo,Maggi, 1 pieza	84	0,1	H
Albondiguillas, GL, 1 pieza, 75 g	181	12	G

VN = Valor nutricional

G = muy rico en grasas – consumir con precaución

M = muy rico en minerales – consumo preferente

B = rico en fibra – consumir cuando sea necesario

P = muy rico en proteínas – consumo preferente

H = rico en carbohidratos – consumo con moderación

V = muy rico en vitaminas – consumo preferente

A

	kcal	Grasa g	VN
Albondiguillas a la cazadora, GL, Iglo, 300 g	666	45	G
Albondiguillas de Baviera, 1 ración	172	0,8	H
Albondiguillas de Bohemia, 1 ración	236	1	H
Albondiguillas de comino, caseras, 1 pieza	165	3	H
Albondiguillas de comino, en bolsa para cocción, 1 ración	258	7	H
Albondiguillas de patata a la bávara, 1 ración	172	0,8	H
Albondiguillas de patata, mitad y mitad, en bolsa para su cocción, Maggi, 1 pieza	108	0,3	H
Albondiguillas de patata, en bolsa para su cocción, PP, 1 pieza	213	0,8	H
Albondiguillas de pollo, GL, Iglo, 2-3 raciones	468	21	G
Albondiguillas de sémola	339	1,1	H
Albondiguillas de tocino, en bolsa para cocción, 1 ración	227	12	GH
Albondiguillas, de comino en bolsa para cocción, Maggi, 1 pieza	82	0,7	H
Alcachofa del Canadá	30	0,4	MV
Alcachofa, 1 pieza, 200 g	55	0,1	V
Alcaparras, maceradas, 10 g	2	0	
Ale, cerveza inglesa, 0,2 l	96	0	
Algas	35	0,9	MV
Algas en polvo	265	7	P
Algodón de azúcar, 10 g	26	0	H
Alitas de pollo	179	11,6	P
Alitas de pollo Hot Wings «Buffalo»	203	14,1	PG

	kcal	Grasa g	VN
Alitas picantes	187	12,8	GV
Almendra rallada, 1 CT	45	6	G
Almendrado, 1 pieza	45	2	GH
Almendrado, Mini 40 g	214	13,6	GH
Almendrados	450	20	GH
Almendras	577	54	GV
Almendras enteras	538	36	GH
Almendras saladas, 5 piezas	50	5	G
Almendras tostadas	600	55	GH
Almi bebible, distintas variedades, pr	42	0,05	H
Almidón de batata	356	0	H
Almidón de batata, 1 CT	18	0	H
Almidón de Cassava	360	0	H
Almighurt, 0,1 %,	95	0,1	H
Almighurt de chocolate	119	3,7	H
Almighurt, yogur de frutas	110	2,8	H
Alpenmädel	90	1,2	H
Altramuces sin pelar, 20 g	85	7	V
All-Bran Plus, Kellogs, 30 g	155	3,3	H
Ambrosía de gelatina en polvo, 1 ración	63	0	H
Ambrosía instantánea	67	0	H
Ambrosía, envase, pr.	71	0	H
Ambrosía, plato preparado, 125 g	63	0	H
American Dinner, Classic, GL, McCain	168	9	H
American Dinner, Southern, GL, McCain	187	9	GH
American Pasta Dream, Macarrones con queso, Maggi, 1 bolsa	597	13,9	GH
American Pasta Dream, Fideos con salsa, Maggi, 1 bolsa	648	11,6	GH
Americano, 8 cl	116	0	
Amicelli, 1 pieza	63	3,4	
Anguila ahumada	350	29	G

VN = Valor nutricional
G = muy rico en grasas – consumir con precaución
M = muy rico en minerales – consumo preferente
B = rico en fibra – consumir cuando sea necesario

P = muy rico en proteínas – consumo preferente
H = rico en carbohidratos – consumir con moderación
V = muy rico en vitaminas – consumo preferente

ALIMENTOS Y BEBIDAS DE LA «A» A LA «Z»

	kcal	Grasa g	VN		kcal	Grasa g	VN
Anguila en gelatina, 1 cubito	220	18	G	Arenque moteado	241	20	G
Anguila fresca, 200g	418	35	G	Arenque salado	218	15	G
Angulas	209	24	G	Arenque salado fresco, 200 g	235	15	G
Anís (chupito), 2 cl	68	0		Armagnac, 40 %, 2 cl	44	0	
Antipasti con alcachofa	89	5	G	Aromatizador al ron, 1 botellín	2	0	
Antipasti en frasco, pr	56	3	G	Aromatizantes light	0	0	
Antipasti tomate deshidratado	69	5	G	Aros de cebolla, GL	212	12	H
Antipasti frutos de mar	174	8,7	P	Aros de cereales Bio Dinkel	362	2,5	H
Aperitivos Asia, Maggi, distintas variedades, 1 envase	237	1	H	Aros de manzana	264	1,6	H
Apfelkraut	286	0	H	Arrak, aroma, 1 botellín	4	0	
Apfelkraut, 1 CT	29	0	H	Arrak, 38 %, 2 cl	45	0	
Apio (en lata)	31	*		Arrowroot, 1 CT	18	0	H
Apio (mata)	21	0,2	MV	Arroz Basmati & Thai	346	0,4	MV
Apio (tubérculo)	38	0,3	MV	Arroz Basmati con coco y curry, GL, Iglo	152	7,6	H
Apio blanco	21	0,2	MV	Arroz Basmati, Kraft	340	0,5	H
Apio blanco, fresco, 500 g	66	0,6	MV	Arroz con leche dietético, pr	86	2,4	H
Aquavit, 43 %, 2 cl	50	0		Arroz con leche light, pr	70	0,9	H
Arándanos	37	0,7	MV	Arroz con leche, distintas variedades, pr	110	2,4	H
Arándanos rojos (en frasco)	29	0	M	Arroz con leche, distintas, variedades, pr	150	5,6	H
Arándanos rojos	35	0,7	MV	Arroz con leche, 1 ración, pr	386	9,3	H
Arándanos rojos, cultivados	37	0,7	M	Arroz con verduras de primavera, Risotteria	414	9,8	GH
Arándanos rojos con fructosa	82	1	H	Arroz de grano largo	344	0,4	H
Arándanos rojos sin azúcar añadido, lata	30	0,4		Arroz de Patna de grano largo y en punta	342	0,4	MV
Arenque ahumado, 200 g	292	17	G	Arroz hinchado, 1 CS	8	*	
Arenque asado marinado	177	11,3	P	Arroz hinchado, 1 taza	58	0,4	
Arenque asado	204	15	G	Arroz integral	350	2	PV
Arenque asado, 1 pieza, 150 g	320	24	G	Arroz largo	134	0,8	H
Arenque Bismarck,	210	16	PG	Arroz limpio	340	0,5	H
Arenque en gelatina	164	13	G	Arroz natural	347	2,2	MV
Arenque enrollado	179	14	G	Arroz salvaje	345	0,5	P
Arenque enrollado asado	196	14	G				

VN = Valor nutricional

G = muy rico en grasas – consumir con precaución

M = muy rico en minerales – consumo preferente

B = rico en fibra – consumir cuando sea necesario

P = muy rico en proteínas – consumo preferente

H = rico en carbohidratos – consumir con moderación

V = muy rico en vitaminas – consumo preferente

ALIMENTOS Y BEBIDAS DE LA «A» A LA «Z»

A	kcal	Grasa g	VN
Arroz salvaje, GL, Iglo	80	0,2	B
Arroz salvaje y de grano largo	342	1	MV
Arroz, 10 minutos	337	0,5	MV
Asado agrio del Rhin, GL, Eismann, 250 g	250	7	GH
Assugrin	0	0	
Asti spumante, 0,1 l	82	0	
Atún en aceite	303	22	G
Atún natural, lata, 150 g	164	1,5	P
Atún, fresco	242	16	PG
Avellana picada	709	65	GV
Avellanas peladas, 1,5 g	11	1	GV
Avellanas troceadas, 50 g	249	19	GV
Avena en grano, Wasa, 1 rebanada	47	0,5	H
Avena tostada	386	6	H
Aves de caza, pr	130	4	PG
Azúcar	394	0	H
Azúcar, 1 CS	79	0	H
Azúcar, 1 CT	26	0	H
Azúcar candy, 1 CT	26	0	H
Azúcar candy, 2 g (1 terrón pequeño)	8	0	H
Azúcar de vainilla, 1 sobre	32	0	H
Azúcar en polvo	350	0	H
Azúcar en polvo, 1 CS	70	0	H
Azúcar en polvo, 1 CT	20	0	H
Azúcar light, sorbitol	390	0	H
Azúcar moreno	382	0	H
Azúcar moreno en polvo	396	0	H
Azúcar para diabéticos	400	0	H
Azúcar para diabéticos, 1 CS	80	0	H
Azúcar para glaseado	394	0	H
Azúcar para glaseado, extra	393	0	H
Azúcar efervescente, pr	350	0	H

B	kcal	Grasa g	VN
Baby Ruth	270	20	G
Babybel, 25 % grasa, 20 g	61	5	PG
Bacalao	75	0,3	P
Bacardi, 38 %, 2 cl	50	0	
Backed Beans, Bonduelle	69	0,6	H
Bacon	857	93	G
Bacon Bits	315	28,1	G
Bacon para el desayuno	403	37,8	G
Baguette, 1 pieza, 150 g	390	7	H
Baguette boloñesa, GL, Iglo	225	9	GH
Baguette con ajo y hierbas, GL, Iglo	361	17	GH
Baguette con champiñones, GL, Iglo	215	7	GH
Baguette con espinacas, GL, Iglo	208	6,8	H
Baguette con salami, GL, Iglo	245	9	GH
Baguette con tomate y queso, GL, Iglo	231	9,4	GH
Baguettes Gourmet cuatro quesos, GL, Iglo	325	14	H
Baguettes Gourmet, Provenzal, GL, Iglo	286	14	H
Baguettes, GL, Eismann, distintas variedades, pr	259	11	H
Balisto, cereales variados, pr	212	5,6	GH
Bami Goreng, GL	108	3,8	H
Banjo, 1 barrita	342	11	GH
Barack Palinka, 40 %, 2 cl	50	0	
Barolo, 0,25 l	187	0	
Barquillos integrales, 1 pieza	33	2	GH
Barrita de caramelo, 1 pieza	137	0	H
Barrita de chocolate con nueces	565	37	GH

VN = Valor nutricional

G = muy rico en grasas – consumir con precaución
M = muy rico en minerales – consumo preferente
B = rico en fibra – consumir cuando sea necesario

P = muy rico en proteínas – consumo preferente
H = rico en carbohidratos – consumir con moderación
V = muy rico en vitaminas – consumo preferente

ALIMENTOS Y BEBIDAS DE LA «A» A LA «Z»

B

	kcal	Grasa g	VN
Barrita de mazapán con chocolate, 60 g	297	18	GH
Barrita de müsli light, 1 pieza	76	2,2	
Barrita de müsli, 1 pieza	94	2,3	GH
Barritas crujientes de capuccino, 1 pieza	143	10	GH
Barritas crujientes, 1 pieza	140	9	GH
Barritas de coco, 1 pieza	106	7	GH
Barritas Kinder, Ferrero, 1 pieza	117	7,1	GH
Barritas refrescantes, 1 paquete	257	7	H
Base de alcachofa	56	0,1	V
Base de biscuit	570	35	GH
Base para pastel de frutas, PP, 1 fuente, pr	600	17	GH
Base para pastel de queso, 1 envase	206	0	H
Base para salsas para la ensalada, Maggi, 10 g, pr	24	0,2	
Base para salsas, Maggi, para 1/4 l de salsa	83	2	H
Batata	124	0,6	
Batata de caña	70	0,1	V
Batata de caña natural, 1.000 g	560	0,8	V
Batata fresca, 500 g	502	2,4	
Batido de frutas light con vitaminas	42	0,5	P
Batido de leche y frutas, distintas variedades	54	0	H
Batido de leche y frutas, pr	59	0,4	P
Batido light, 0,2 l	64	*	
Bayas de saúco	54	1,7	MV
Bayas espinosas	89	7	MV
Bazo de cordero	117	6	G
Bazo de ternera	100	3,2	P
Beaujolais, 0,25 l	167	0	

	kcal	Grasa g	VN
Bebida de cacao soluble, (con leche), 0,15 l	155	6	GH
Bebida de cacao soluble, (con agua), 0,15 l	95	3	GH
Bebida de cacao (leche descremada)	52	0,5	H
Bebida de clara de huevo	75	0	P
Bebida de escaramujos, 0,2 l	102	0	
Bebida de naranja roja, 0,5 l	280	0,5	H
Bebida de ruibarbo	53	0	MV
Bebida de soja con calcio	47	2,1	G
Bebida de soja sin azúcar	36	2,1	G
Bebida de verduras, distintas variedades	50	0,2	V
Bebida de vinagre de manzana y naranja	40	0	
Bebida de vinagre, 0,1 l	51	0	
Bebida de zanahoria, 0,1 l	32	0	V
Bebida multivitamínica, 0,5 l	275	0,5	H
Bebida rica en fibra, 0,5 l	220	0,5	BH
Bebidas a base de zumos de fruta, 0,2 l, pr	90	0	H
Berberechos	72	1	P
Berenjena	17	0,2	M
Berenjena, 1 pieza, 250 g	53	0,6	M
Bergkäse, 20 g	77	6	G
Berros	21	0,3	MV
Berros naturales, 500 g	105	1,5	MV
Berros, 1 cajita, 25 g	8	0,2	MV
Bio-cobertura de fruta	135	*	H
Bioghurt con cereales integrales	95	2,7	P
Bioghurt light	62	1,1	P
Bioghurt natural	73	3,8	PG
Bioghurt, 3,5 %, 150 g	100	3,3	PG
Bio-Gnocchi	174	4,1	H

VN = Valor nutricional
G = muy rico en grasas – consumir con precaución
M = muy rico en minerales – consumo preferente
B = rico en fibra – consumir cuando sea necesario
P = muy rico en proteínas – consumo preferente
H = rico en carbohidratos – consumir con moderación
V = muy rico en vitaminas – consumo preferente

B

	kcal	Grasa g	VN		kcal	Grasa g	VN
Bio-guisantes, Bonduelle	66	0,7	HV	Bollería light, distintas variedades, pr	35	1,8	GH
Bio-müsli con frutas	302	2	BH	Bollería, cruda	390	3	H
Bio-Tartaloni con ricotta y espinacas	222	3,9	H	Bollería, horneada, (= 30 g en crudo)	117	0,9	H
Bistec «A la vienesa»	199	11	G	Bollitos Mini choco con leche, distintas variedades, dietéticos, 1 pieza	22	1,1	G
Bistec «Cordon Bleu»	199	11	G	Bollos blandos, 1 pieza	25	1,2	GH
Bistec «Lugano»	194	10	G	Bollos con avellanas light, 1 pieza	30	1,8	GH
Bistec de cerdo	107	2	P	Bollos de amapola	292	14	GH
Bistec de ternera	107	1,4	P	Bollos de carraón con chocolate	483	23	GH
Bistec picado	118	3	P	Bollos de carraón integral	363	7	H
Bitter Lemon, Schweppes, 0,2 l	70	0		Bollos de coco tostado	450	7	GH
Bitter Lemon light, Schweppes, 0,2 l	17	0		Bollos de chocolate, light 1 pieza	21	1	GH
Bizcocho	407	7	H	Bollos de huevo light, 1 pieza	20	1,2	GH
Bizcocho, 1 pieza	41	0,7	H	Bollos y bizcochos light, 1 pieza	32	0,5	H
Bizcocho con fructosa light, 1 pieza	28	0,4		Bomba de frutas, pr	323	0	H
Bizcocho de carraón	389	9	H	Bombones, 1 pieza, pr	60	4	GH
Bizcocho de Saboya, HM	359	1,6	H	Bombones, surtido variado, 1 pieza	44	2	GH
Bizcocho de Saboya, distintas variedades, pr	100	2	H	Bombones con licor de huevo, GH	527	30	
Bizcocho de trigo integral, 1 pieza	42	1	BH	Bombones de coco, 1 pieza	64	4	GH
Bizcocho integral, 1 pieza	35	1	H	Bombones de Toblerone, 1 pieza	42	3	G
Black Velvet, 0,2 l	140	0		Bombones Ferrero, 1 pieza	53	4	GH
Bloody Mary, 0,1 l	95	0		Bonitos, 1 bolsa, 40 g	195	8	GH
Bogavante	81	2	P	Borschtsch ruso, 0,25 l	70	3	
Bol de piña, 0,2 l	160	0		Bouillon de verduras, Knorr, 1 l	34	1	
Bolitas al ron	533	33	GH	Bounty, 1 barrita	268	14,4	GH
Bolitas al ron, 1 pieza	53	3	GH	Bounty miniatura, por pieza	38	2,2	G
Bollería con huevo, 1 pieza	20	1,2	GH				
Bollería con manteca, 1 pieza	200	15	GH				
Bollería de arroz, japonesa, 50 g	215	4	H				
Bollería de coco	431	7	GH				
Bollería de mantequilla, 20 g	101	5	G				

VN = Valor nutricional
G = muy rico en grasas – consumir con precaución
M = muy rico en minerales – consumo preferente
B = rico en fibra – consumir cuando sea necesario

P = muy rico en proteínas – consumo preferente
H = rico en carbohidratos – consumir con moderación
V = muy rico en vitaminas – consumo preferente

B	kcal	Grasa g	VN
Bourbon, 40 %, 4 cl	115	0	
Bowle, 150 ml	162	0	
Brandy Apricot, 2 cl	61	0	
Brandy, 40 %, 2 cl	44	0	
Bratwurst	195	15	G
Bratwurst de ave	132	8	H
Bratwurst de cerdo, pr	364	31	G
Bratwurst de Nürnberg	364	34	G
Bratwurst de Nürnberg, 1 pieza	63	5,4	G
Bratwurst de ternera, pr	270	25	G
Bratwurst de ternera, pr	296	23	G
Bratwurst encaracolada, GL, 1 pieza	399	38	PG
Bremer Pinkel	327	17	G
Brezel	485	21	GH
Brezel con masa de hojaldre, 1 pieza	158	2	H
Brezel de hojaldre, 1 pieza	23	1	GH
Brezel salados	420	10	H
Brezels de mantequilla light	469	23	GH
Brie Royal	430	41	G
Bries	108	3	
Briette, 30 % de grasa	223	14	G
Brioche, 1 pieza	140	10	GH
Bróculi	33	0,2	MV
Bróculi congelado, Bonduelle	25	0,5	MV
Bróculi congelado, Iglo	32	0	MV
Bróculi natural, 500 g	102	0,6	MV
Bróculi tostado, GL, Iglo	32	0	V
Brödli con cereales integrales	407	11	H
Brotes de bambú	17	0,3	
Brotes de soja	49	1,2	MV
Brühwurst, 25 % de grasa, en lata	274	25	G
Bulgur	302	2	BV
Buñuelos, 10 g	50	3	GH
Buñuelos, 1 pieza	38	1,9	GH

	kcal	Grasa g	VN
Buñuelos de viento con fresas	195	9	G
Buñuelos de patata en polvo, al horno, 1 ración, pr	75	1,2	GH
Buñuelos de patata, 1 ración	311	0,8	GH
Buñuelos de patata, GL, al horno, 1 pieza	185	2,3	GH
Buñuelos de sémola, 1 bolsa, preparados	932	32	H
Buñuelos de sémola, 1 ración	289	7,4	H
Buñuelos de viento con nata y vainilla	247	16,1	GH
Buñuelos indios, 1 pieza	210	8	GH
Bürli, 1 pieza	265	2	H
Butaris	921	100	G
Butaris, 1 CS	138	15	G
Butifarra negra, pr	425	36	G

C	kcal	Grasa g	VN
Caballa	185	15	PG
Caballa ahumada	238	19	G
Caballa ahumada, natural, 300 g	493	39	G
Caballa fresca, 300 g	360	30	PG
Cabeza de cerdo	527	48	G
Cabeza de ternera	150	1,4	P
Cabrito (seta)	12	0,5	MV
Cabrito (seta) en lata	34	1	
Cabrito natural (seta), 500 g	37	1,5	MV
Cacahuetes	597	49	GV
Cacahuetes pelados	597	49	GV
Cacahuetes pelados, 8 piezas	94	8	GV
Cacahuetes tostados sin grasa, 25 g	140	11	G

VN = Valor nutricional
G = muy rico en grasas – consumir con precaución
M = muy rico en minerales – consumo preferente
B = rico en fibra – consumir cuando sea necesario

P = muy rico en proteínas – consumo preferente
H = rico en carbohidratos – consumir con moderación
V = muy rico en vitaminas – consumo preferente

C

	kcal	Grasa g	VN
Cacahuetes picantes con especias	624	48	G
Cacahuetes tostados y salados	638	51	G
Cacao en polvo, 1 CS	70	5	G
Cacao instantáneo, Suchard Express	355	29	
Café	0	0	
Café con leche, Nestlé, 150 ml	52	3	P
Café exprés	0	0	
Café exprés con azúcar, 1 taza	26	0	H
Café helado, 0,2 l	375	32	GH
Cafe malteado, 1 taza	6	0	
Café molido	0	0	
Café soluble	0	0	
Calabacines	19	0,4	MV
Calabaza	26	0,1	MV
Calabaza, agridulce	50	0	
Calabaza natural, 500 g	95	0,4	MV
Calamar	79	0,8	P
Calamares	207	11	PG
Calamares a la Romana, GL	230	14	GH
Caldo de primavera, Minuto	92	4	H
Calvados, 2 cl	65	0	
Callos, cocidos	140	8	G
Cambozola	436	41	G
Camembert	331	28	PG
Camembert, light	230	13	PG
Camembert, 30 % de grasa, 80 g	207	12,8	PG
Camembert, 45 % de grasa, 80 g	281	21,8	PG
Camembert, 55 % de grasa	338	29	G
Camembert, 60 % de grasa	393	35	PG
Camembert Ramée, 55 % de grasa	351	26	G

	kcal	Grasa g	VN
Camembert, 55 % de grasa, 125 g	343	29,4	PG
Camembert rebozado, GL, 1 pieza, 65 g	209	14,3	G
Campari 5 cl	56	0	
Canderel, edulcorante, 1 CT	2	0	
Cangrejo (congelado o en lata)	95	2	P
Cangrejo de Kamchatka, (congelado o en lata)	90	1	P
Cangrejos de río	71	0,5	P
Cangrejos de río, 1 pieza, pr	30	0,2	P
Cangrejos del ártico	80	1	P
Cangrejos frescos, 500 g	221	1	P
Cangrejos frisones (congelados o en lata)	85	1	P
Cangrejos sueltos	90	1	P
Capelletti con albahaca	202	5	H
Capelletti con jamón crudo, Buitoni fresco, 125 g	375	10	H
Capelletti con jamón y queso	195	6	H
Capelletti Rucola con parmesano	190	4,7	H
Cappuccino con Vainilla, Nestlé, 120 ml	53	2	H
Cappuccino, Nestlé, 1 taza, 120 ml	53	2	H
Caprice des Dieux, 60 % de grasa	356	30	G
Caracoles de viñedo con mantequilla de hierbas, 1 ración	245	22	G
Caracolillos de müsli, 1 pieza	90	6	GH
Caramac, 1 barrita	169	11	GH
Caramelo, 1 unidad, pr	20	0	H
Caramelo de frutas, 5 g	18	0	H
Caramelo de nata,1 pieza	40	1	H

VN = Valor nutricional
G = muy rico en grasas – consumir con precaución
M = muy rico en minerales – consumo preferente
B = rico en fibra – consumir cuando sea necesario

P = muy rico en proteínas – consumo preferente
H = rico en carbohidratos – consumir con moderación
V = muy rico en vitaminas – consumo preferente

	kcal	Grasa g	VN
Caramelo para diabéticos, 1 pieza, pr	19	0	H
Caramelos blandos	408	4,6	GH
Caramelos con sorbitol para diabéticos	380	0	H
Caramelos de fresa con nata light	278	7	H
Caramelos de fructosa	390	0	H
Caramelos de fructosa, 1 pieza	19	0	H
Caramelos de té helado, de goma	340	0	H
Caramelos de violeta, 5 piezas	13	0	H
Caramelos de vitaminas, sin azúcar, 75 g	273	0	V
Caramelos light, 1 pieza, pr	18	0	H
Caramelos para la tos, 1 pieza	9	0	H
Caramelos sin azúcar, 75 g	270	0	H
Caramelos Werther's Original, 1 caramelo	23	0	H
Carbonara al gusto, Knorr, 1 envase	602	56	GH
Carne ahumada, con grasa	450	41	G
Carne ahumada, magra	260	21	G
Carne con manteca (lata)	366	33	G
Carne de alce	130	4	P
Carne de antílope	97	1	P
Carne de ballena	134	3,4	P
Carne de bogavante	89	2	P
Carne de caballo, pr	118	2,7	P
Carne de cabra, pr	185	10	G
Carne de cangrejo, (en lata)	90	2	P
Carne de cerdo, espalda	100	1	

	kcal	Grasa g	VN
Carne de cerdo, codillo, lomo	163	9	G
Carne de cerdo, cuello, morrillo	167	10	G
Carne de cerdo, pata delantera	171	10	G
Carne de cerdo, pata trasera	191	13	G
Carne de cerdo, muslo	203	13	G
Carne de cerdo, grasa de la región ventral	902	90	G
Carne de cordero, cuello	112	3,4	P
Carne de cordero, lomo	208	13	G
Carne de cordero, pata	250	18	G
Carne de cordero, paletilla	306	18	G
Carne de cordero, pecho	381	37	G
Carne de moluscos	72	1	P
Carne de oveja, con grasa	381	37	G
Carne de oveja, magra	208	14	PG
Carne de pato con patatas Bouillon, 1 ración	296	8	PH
Carne de pavo en adobo, pr	102	3	P
Carne de pies de cerdo en gelatina	82	2	
Carne de pollo	166	10	PG
Carne de reno, pr	118	1,5	P
Carne de ternera, cuello, papada	104	2,4	P
Carne de ternera, filete	106	1,5	P
Carne de ternera, lomo, espalda	108	2,4	P
Carne de ternera, pecho	132	6	PG
Carne de ternera, falda, espalda	138	6	PG
Carne de ternera, pernil	96	1,6	P
Carne de vaca en conserva, pr	225	7	G

VN = Valor nutricional

G = muy rico en grasas – consumir con precaución

M = muy rico en minerales – consumo preferente

B = rico en fibra – consumir cuando sea necesario

P = muy rico en proteínas – consumo preferente

H = rico en carbohidratos – consumir con moderación

V = muy rico en vitaminas – consumo preferente

ALIMENTOS Y BEBIDAS DE LA «A» A LA «Z»

C	kcal	Grasa g	VN
Carne de vaca, cuello	158	9	PG
Carne de vaca, chuleta	161	9	G
Carne de vaca, churrasco	161	9	PG
Carne de vaca, falsa costilla	243	7	G
Carne de vaca, lomo	151	4	
Carne de vaca roastbeef	129	4	PG
Carne de vaca, paletilla	163	10	PG
Carne de vaca, pata	160	7	PG
Carne de vaca, pecho	271	7	G
Carne de vaca, rabo	184	12	PG
Carne de vaca, solomillo	131	2	P
Carne de vaca, tajo redondo	103	2	
Carne de vaca enrollada	114	3	
Carne en salazón, pr	186	12	G
Carne enrollada con col, Eismann, 1 pieza	214	14	GH
Carne picada	200	14	G
Carne vegetal (de soja)	106	6	PG
Carpa	120	5	PG
Carpa, 1 pieza	190	8	GH
Cassis, 2 cl	65	0	
Castañas	196	2	B
Castañas asadas	196	2	B
Castañas asadas, 8 piezas, 45 g	95	1	B
Cava dulce, 0,1 l	85	0	
Cava seco, 0,1 l	90	0	
Cava semiseco, 0,1 l	80	0	
Cava, brut, 0,1 l	67	0	
Cava, extra seco, 0,1 l	70	0	
Caviar, 30 g	84	3,3	PG
Caviar, fresco	279	16	PG
Caviar, alemán, 30 g	35	1,6	P
Caviar, ruso, 30 g	84	4,7	PG
Cebada en grano	370	0	P
Cebada en grano, 1 CS	74	0	P
Cebada integral sin cápsula	325	2,1	BP

	kcal	Grasa g	VN
Cebolla seca, 1 CS	10	*	
Cebollas asadas	250	13	G
Cebollas de primavera	40	0	V
Cebollino, GL, Iglo, 1 paquete, 25 g	17	1	V
Cebollino, picado, 1 CS	2	*	V
Cebollitas, 1 pieza	1	0	
Cecina	858	65	G
Cellentani 100 g, crudos	362	1,7	G
Cenofix, 1 CS	21	0,5	
Centeno, integral	293	1,7	P
Ceralisto	194	11,1	G
Cerdo agridulce, GL	140	4	G
Cerdo asado, 1 ración	239	7	PH
Cerdo asado, GL	71	3	PG
Cereales Frosties, Kellogg's, 30 g, con leche desnatada, distintas variedades, pr	169	2,1	BH
Cereales Loops, Kellogg's, 30 g	174	2,8	H
Cerezas amargas	60	0	V
Cerezas amargas en lata	70	0	
Cerezas amargas naturales, 500 g	266	0	V
Cerezas con aguardiente, 6 piezas	60	4	GH
Cerezas para cocktail, 1 pieza	8	*	
Cerezas dulces	63	0,3	MV
Cerezas dulces (en lata)	93	0,1	
Cerveza Altbier, 0,33 l	146	0	
Cerveza Altbier light, 0,33 l	135	0	
Cerveza baja en calorías, 0,5 l, pr	150	0	
Cerveza Bockbier, 0,5 l	291	0	
Cerveza de malta, 0,33 l	158	0	
Cerveza de trigo sin alcohol, 0,5 l	110	0	

VN = Valor nutricional
G = muy rico en grasas – consumir con precaución
M = muy rico en minerales – consumo preferente
B = rico en fibra – consumir cuando sea necesario

P = muy rico en proteínas – consumo preferente
H = rico en carbohidratos – consumir con moderación
V = muy rico en vitaminas – consumo preferente

C

	kcal	Grasa g	VN
Cerveza de trigo, 0,5 l	200	0	
Cerveza Märzenbier, 0,5 l	255	0	
Cerveza negra, 0,5 l, pr	235	0	
Cerveza para diabéticos, 0,25 l	102	0	
Cerveza Pils, 0,33l, pr	146	0	
Cerveza Pilsen light, 0,33 l	107	0	
Cerveza rubia, 0,5 l	200	0	
Cerveza sin alcohol, 0,33 l, pr	80	0	
Cevapcici, 1 ración	581	23	G
Cevapcici, 1 ración	300	24	GH
Cevapcici, GL	291	25	G
Chablis, 0,25 l	167	0	
Champaña, dulce, 0,1 l	95	0	
Champaña, semiseco, 0,1 l	83	0	
Champiñones	15	0,2	MV
Champiñones en lata	16	0,5	P
Champiñones frescos, 500 g	135	0,5	MV
Champiñones naturales, 500 g	75	1	MV
Chartreuse amarillo, 40 %, 2 cl	60	0	
Chartreuse verde, 55 %, 2 cl	75	0	
Chateauneuf-du-Pape, 0,25 l	192	0	
Chayote	26	0,1	
Chef-Fritatoes, GL, McCain	165	7	GH
Chef-Frites, GL, McCain	154	5,5	GH
Chef-Pom Poms, GL, McCain	186	8	GH
Chiccolo, mini salami de ave, 1 pieza	138	12	G
Chicken-Sticks Crisby	206	8,3	PH
Chicle, 1 tira	30	0	H
Chicharrones	182	10	G

	kcal	Grasa g	VN
Chile con verduras, 1 ración	257	3,7	H
Chips de chocolate	491	27	GH
Chipsies, GL, Eismann	146	6	GH
Chirimoya	63	0,3	V
Chirivías	68	0,4	B
Choco Krispies, Kellogg's, 30 g	179	3	GH
Chocolate a la piedra	550	32	GH
Chocolate amargo dietético	521	33	GH
Chocolate Bio con nueces	588	44,2	GH
Chocolate blanco con nueces	564	38	GH
Chocolate blanco, Nestlé	540	31	GH
Chocolate blanco, Nestlé, 1 barrita	92	5	G
Chocolate con avellanas	540	33	GH
Chocolate con avellanas	556	36	GH
Chocolate con Cointreau y trufa	529	32	GH
Chocolate con crema de nata	600	45	GH
Chocolate con fructosa, distintas variedades, pr	554	42	GH
Chocolate con leche dietético	555	36	GH
Chocolate con leche light	462	31	GH
Chocolate con leche relleno con crema de fresas light	565	38	GH
Chocolate con leche y crema de café light	570	38	GH
Chocolate con leche y nueces light	575	40	GH
Chocolate con leche y nueces	552	37	GH
Chocolate con leche y avellanas, para diabéticos	580	41	GH
Chocolate con leche, pr	526	30	GH

VN = Valor nutricional
G = muy rico en grasas – consumir con precaución
M = muy rico en minerales – consumo preferente
B = rico en fibra – consumir cuando sea necesario

P = muy rico en proteínas – consumo preferente
H = rico en carbohidratos – consumir con moderación
V = muy rico en vitaminas – consumo preferente

C

	kcal	Grasa g	VN
Chocolate con leche	525	30	GH
Chocolate con Marc de Cava	526	31	GH
Chocolate con mazapán, pr	510	30	GH
Chocolate con nueces, pr	556	37	GH
Chocolate con nugat light	468	34	GH
Chocolate con relleno de yogur	585	40	GH
Chocolate con yogur de fresas	565	37	GH
Chocolate concentrado	33	*	H
Chocolate Crunch con leche	530	28	GH
Chocolate de trufa con aguardiente	510	30	GH
Chocolate dietético con fructosa y relleno de nata y moka	572	40	GH
Chocolate helado, 0,2 l	585	32	GH
Chocolate Kinder Ferrero, 1 barrita	70	4,3	GH
Chocolate Mint, licor, 27 %, 2 cl	64	0	GH
Chocolate negro amargo	540	32	GH
Chocolate negro amargo, 1 pastilla	25	1,5	GH
Chocolate negro con avellanas	551	40	GH
Chocolate para cocinar	480	32	GH
Chocolate para espolvorear	421	13	GH
Chocolate rallado, amargo	487	27	GH
Chocolate semiamargo, pr	525	33	GH
Chocolate, 1 porción, 6 g, pr	30	2	GH
Chop Suey Asia, Maggi, 1 bolsa	389	5,7	H

	kcal	Grasa g	VN
Chuches con azúcar efervescente	320	0	H
Chuches de frutas, distintas variedades	340	0	H
Chuleta de cerdo, magra	131	4,5	G
Chuleta de cerdo, con grasa	149	7	G
Chutney, 1 CS	40	4	G
Cibattoni con tomate y mozzarella, GL, Iglo	222	5,5	H
Ciclamato	0	0	
Cidra	292	0,8	H
Cielo Amaretto	589	40	GH
Ciervo	122	3	P
Cini-Minis, Nestlé, 30 g, con leche desnatada	182	5	H
Ciruelas	49	0,2	MV
Ciruelas, 1 pieza, 10 g	4	*	MV
Ciruela damascena, 1 pieza	49	0,2	V
Ciruelas claudias	56	0,2	MV
Ciruelas claudias, frescas, 500 g	269	1	MV
Ciruelas claudias, 1 pieza, 10 g	6	*	MV
Ciruelas de California, secas, sin hueso	292	0,9	BH
Ciruelas de Jamaica	59	0,5	MV
Ciruelas de Natal	49	1	V
Ciruelas del Japón	49	0,2	MV
Ciruelas dietéticas, GL	207	10,5	GH
Ciruelas en lata	75	0,1	
Ciruelas frescas, 500 g	245	0,9	MV
Ciruelas mirabel frescas, 500 g	315	0,9	MV
Ciruelas mirabel	67	0,2	MV
Ciruelas mirabel, 1 pieza, 10 g	6	*	MV
Ciruelas romanas	292	0,9	BH
Ciruelas romanas, 1 pieza	45	0,1	BH

VN = Valor nutricional

G = muy rico en grasas – consumir con precaución

M = muy rico en minerales – consumo preferente

B = rico en fibra – consumir cuando sea necesario

P = muy rico en proteínas – consumo preferente

H = rico en carbohidratos – consumo con moderación

V = muy rico en vitaminas – consumo preferente

C

	kcal	Grasa g	VN
Ciruelas secas	291	0,8	BH
Ciruelas secas con hueso	222	*	BH
Ciruelas secas con hueso, 1 pieza, 6 g	15	*	BH
Ciruelas secas, sin hueso	286	*	BH
Ciruelas secas sin hueso, 1 pieza	29	*	BH
Clara (cerveza + limonada), 1 l	526	0	
Clara de huevo seca, 10 g	35	0,1	P
Clara de huevo, mediana, 33 g	16	*	P
Clementina natural, 500 g	195	1,3	V
Clementina	46	0,3	V
Clementina, 1 pieza, 40 g	18	0,1	V
Clusters, Nestlé, 30 g, con leche desnatada	176	5	H
Cobertura de cerezas	308	1	H
Cobertura de confeti	423	5	H
Cobertura de chocolate fundido para repostería	560	55	GH
Cobertura de frutas, distintas variedades	132	0	
Cobertura de fructosa y albaricoque o naranja, 1 CT	17	*	H
Cobertura para pasteles	560	35	GH
Cobertura para pasteles, con leche entera	560	35	GH
Cobertura semiamarga	570	33,9	GH
Cocktail Alexander, 5 cl	147	0	
Cocktail de cava 5 cl, pr	60	0	
Cocktail Martini 6 cl	150	0	
Coco	340	32	G
Coco rallado	610	62	G
Cocos, barrita, 1 pieza	128	8,5	G
Cocos, chocolate	572	32	GH
Codorniz	103	2	P
Cointreau, 40 %, 2 cl	85	0	

	kcal	Grasa g	VN
Col	37	0,9	MV
Col amarga (Sauerkraut)	17	0,3	BV
Col blanca	24	0,2	MV
Col china	12	0,3	MV
Col china fresca, 500 g	54	1,4	MV
Col de Bruselas	52	0,6	MV
Col de Bruselas natural, 500 g	210	2,4	MV
Col de Milán	37	0,9	V
Col de Pekin	12	0,3	MV
Col de Pekin, fresca, 500 g	54	1,4	MV
Col fresca, 500 g	224	5	MV
Col marrón	37	0,9	MV
Col rizada	23	0	
Col rizada natural, 500 g	115	0	
Col roja	25	0,2	B
Col verde	37	0,9	V
Cola con ron (2 cl de ron y 0,2 l de cola)	162	0	H
Cola, 0,33 l	135	0	H
Cola light, 0,33 l	0,6	0	
Colas de gamba	82	1	P
Coles de Bruselas frescas, 500 g	210	2,4	BV
Coles de Bruselas	52	0,6	BV
Coles de Bruselas, GL, Iglo	38	0,1	BV
Colette con hierbas	256	13	G
Coliflor con crema de leche, GL, Iglo, 150 g	150	11	G
Coliflor congelada	95	7	G
Coliflor fresca, 500 g	82	0,9	MV
Coliflor	27	0,3	B
Colinabo	40	0,2	MV
Colirrábano con salsa de crema de leche, GL, Iglo	93	6,8	G
Colirrábano	24	0,1	MV
Colirrábano natural, 500 g	80	0,3	MV
Colmenillas (setas)	12	0,3	VM
Colmenillas, secas	143	3,5	VM

VN = Valor nutricional
G = muy rico en grasas – consumir con precaución
M = muy rico en minerales – consumo preferente
B = rico en fibra – consumir cuando sea necesario

P = muy rico en proteínas – consumo preferente
H = rico en carbohidratos – consumir con moderación
V = muy rico en vitaminas – consumo preferente

ALIMENTOS Y BEBIDAS DE LA «A» A LA «Z»

C	kcal	Grasa g	VN
Colmenillas, frescas, 500 g	48	1,2	VM
Compota de ciruela, 1 CT	16	*	H
Compota de ciruela	153	0,2	H
Compota de piña	97	0,3	
Concentrado de fresas, 0,25 l, pr	250	0	
Concentrado de pimiento	25	1	G
Concentrado de rábano rusticano	247	20,2	GH
Concha de Santiago	72	1	P
Conchas de Santiago frescas, 100 g	130	1,8	P
Condimento de perejil y ajo, 1 cubito	39	3	
Condimento de suero de mantequilla, 1 CS	24	1,6	G
Condimento mexicano, 1 CS	48	0,8	
Condimento mexicano	82	2	
Condimento para barbacoa 1 CS	72	0,7	
Condimento para verduras de huerto, 1 CS	3	*	
Condimento para verduras, 1 CT, pr	10	*	
Condimento para fondue, 1 CS	64	0,7	
Conejo	152	8	PG
Confitura de albaricoque	17	*	H
Confitura de albaricoque con fructosa, baja en calorías, 1 CT	17	*	H
Confitura de frutas variadas, 1 CT	25	*	H
Congrio	299	25	G
Congrio, ahumado	167	7	PG
Conserva de jengibre a la escocesa	265	0	
Conservas de fruta (en frasco de vidrio), Natreen, pr	39	0	

	kcal	Grasa g	VN
Conservas de fruta dietéticas, pr	75	0	
Conservas de verduras, pr (excepto guisantes)	28	0,5	
Consomé (en lata), 1 taza, pr	50	0	
Consomé de avena, 1 plato, pr	23	*	V
Consomé de carne, 1 plato	15	1	G
Consomé de pollo, 1 plato	15	0,5	G
Consomé de vaca	6	0,4	G
Consomé de verduras	4	0,1	
Consomé de verduras, 1 cubito, preparado	60	3,6	
Consuelda	16	0,4	MV
Consuelda, GL	16	0,4	MV
Coñac, 40 %, 2 cl	49	0	
Copos de arroz	300	3	P
Copos de arroz, 1 CS	10	0,1	P
Copos de avena	356	8	BP
Copos de avena con salvado, 40 g	141	3,6	BH
Copos de avena instantáneos, 40 g	142	3,1	P
Copos de cacahuete, 10 g	49	2	GH
Copos de centeno, 10 g	30	0,2	B
Copos de coco	467	20	G
Copos de levadura, 1 CS	20	0,2	V
Copos de mijo integral, 20 g	66	0,7	BP
Copos de mijo, 12 g	40	0,4	P
Copos de müsli tostados, distintas variedades, pr	423	15	GH
Copos de soja	469	20	PG
Copos de soja, 1 CS	47	2	PG
Copos de trigo	308	2	BH
Copos de trigo, 1 CS	31	0,2	BH

VN = Valor nutricional
G = muy rico en grasas – consumir con precaución
M = muy rico en minerales – consumo preferente
B = rico en fibra – consumir cuando sea necesario

P = muy rico en proteínas – consumo preferente
H = rico en carbohidratos – consumir con moderación
V = muy rico en vitaminas – consumo preferente

C

	kcal	Grasa g	VN
Copos Vita-Flakes	360	1	H
Copos de cereales variados	332	3,5	B
Corazón de alcachofa	56	0,1	V
Corazón de buey	36	2	G
Corazón de cerdo	140	10	G
Corazón de cordero	169	10	PG
Corazón de pollo	139	7	PG
Corazón de ternera	122	5	PG
Corazón de vaca	133	6	PG
Corazones de palmera (lata)	40	0	
Corazones de patata	197	9	G
Corazones de pavo	122	4	PG
Corégono	108	5	PG
Corégono fresco, 200 g	146	7	PG
Corn Flakes, Crunchy Nut, Kellogg's, 30 g	176	2,7	H
Corn Flakes, integrales con fruta, Kellogg's, 30 g	200	3,9	H
Corn Flakes, Kellogg's, 30 g	110	0,2	H
Corned Beef, alemán	152	6	P
Corned Beef, americano	225	13	PG
Cornflakes	369	1	H
Cornflakes integrales	339	3	H
Cornichon, pequeño, 1 pieza	1	*	
Cornichons de París	25	0,2	
Corzo	185	10	G
Costilla de cordero, sin grasa	253	28	G
Costilla de cordero, con grasa	370	32	G
Costillas de ternera	108	2,4	P
Cranberry	35	0,7	MV
Crema de almendras con turrón	548	33	GH
Crema de arce, 1 CT	17	0	H
Crema de avellanas y nougat 1 CT	56	3	GH

	kcal	Grasa g	VN
Crema de cacahuete, 1 CT	63	5	PG
Crema de café, 10 %, 1 CT	24	3	G
Crema de café, 15 %, 1 CS	35	4	G
Crema de caviar, 1 CT	23	2	PG
Crema de chocolate con leche	577	38	GH
Crema de chocolate con menta light	455	25	H
Crema de hígado de oca 50 % de grasa, 1 CS	80	8	G
Crema de hígado de oca, 50 % de grasa, pr	400	40	G
Crema de limón	173	10	G
Crema de nougat de nueces, 1 CT	56	3	GH
Crema de nougat y naranja, 1 CT	51	3	GH
Crema de nueces y nougat light	570	36,5	GH
Crema de soja para sandwich	90	9	G
Crema de soja, neutra	51	2	G
Crema de Stracciatella	420	7,7	H
Crema de tomate con picatostes, platos calientes Maggi, 1 bolsa	76	3,1	H
Crema de vegetales light	641	71,2	G
Crema de vegetales light, 1 CS	64	7	G
Crema de yogur, distintas variedades	133	5,5	H
Crema para repostería con vainilla, preparada	545	30	GH
Crème Fraîche, 1 CS	134	14	G
Crème Fraîche, con ajo, 1 envase	356	36	G
Crème Fraîche, con hierbas, 1 envase	352	34,9	G

VN = Valor nutricional

G = muy rico en grasas – consumir con precaución

M = muy rico en minerales – consumo preferente

B = rico en fibra – consumir cuando sea necesario

P = muy rico en proteínas – consumo preferente

H = rico en carbohidratos – consumir con moderación

V = muy rico en vitaminas – consumo preferente

C	kcal	Grasa g	VN
Crème Fraîche 150 g	446	45,3	G
Cremighurt	143	7,0	H
Crocanti, pr	480	16	GH
Crocanti con avellanas	476	16	GH
Crocanti con sésamo, 50 g	261	15	GH
Croissant	95	6	GH
Croquetas de patata, GL, preparadas, 150 g	320	15	GH
Croquetas, GL	210	9,5	GH
Crustáceos frescos, 500 g	221	2,5	P
Cuajada, 20 %	116	5	PG
Cuajada, 40 %	167	11	PG
Cuajada, descremada, 1,5 %	48	2	P
Cuajada con arroz, distintas variedades, pr	134	6	PG
Cuajada con fruta, 20 %	147	5	PG
Cuajada con frutas, 3,5 %	99	6	PG
Cuajada con frutas, descremada	78	2	P
Cuajada con nata, 10 %, 150 g	184	15	PG
Cuajada con nata y frutas	149	11	PG
Cuajada descremada	78	0,2	P
Cuajada light	78	0,2	P
Cuba libre (2 cl de ron y 0,2 l de cola)	162	0	
Cubitos de jalea, 1 pieza	50	0	H
Cucuruchos	40	0,5	
Cucuruchos para helados,1 pieza	40	1	H
Cuello de vaca	158	9	G
Curaçao Blue, 30 %, 2 cl	75	0	
Curry en polvo, 1 CT	3	*	
Curuba	67	0,4	V

D	kcal	Grasa g	VN
Daiquiri, 5 cl	85	0	
Damasco, 1 pieza, 50 g	18	*	MV
Damascos	43	0,1	MV
Damascos en lata	93	0,2	H
Damascos frescos, 500 g	180	0,4	MV
Damascos secos	305	0,7	BH
Danino, Danone	135	6	G
Danone con frutas light	44	0,3	H
Danone con frutas	103	2,9	H
Dátiles con hueso	273	0,5	H
Dátiles frescos	267	0,1	MV
Dátiles frescos, unidad, 15 g	40	*	MV
Dátiles secos	305	0,5	BH
Dátiles secos, 1 pieza, 7 g	21	*	BH
Dextro energen Activ, 1 barrita, pr	170	*	H
Dextro Energen con calcio, 1 cubito	169	*	H
Dextro Energen Helado, 1 cubito	180	1	H
Dextro Energen, 1 pastilla	21	0	H
Digestivo, 2 cl	85	0	
Donauwelle, GL, 1 pieza	372	22	GH
Donuts, 1 pieza	295	17	GH
Dulce de membrillo, 1 CT	25	*	H
Dulce de regaliz	350	0	H
Dulce de vainilla	143	6,5	G

E	kcal	Grasa g	VN
Edulcorante light, 1 CT, pr	24	0	H
Edulcorante líquido	0	0	
Edulcorante para diabéticos, 1 CS	48	0	H
Edulcorante sólido, 1 pieza	1	0	
Edulcorante, Canderel, 1 CT	2	0	

VN = Valor nutricional

G = muy rico en grasas – consumir con precaución

M = muy rico en minerales – consumo preferente

B = rico en fibra – consumir cuando sea necesario

P = muy rico en proteínas – consumo preferente

H = rico en carbohidratos – consumir con moderación

V = muy rico en vitaminas – consumo preferente

ALIMENTOS Y BEBIDAS DE LA «A» A LA «Z»

E

	kcal	Grasa g	VN
Embutido con gelatina, pr	322	25	G
Embutido de ave con hierbas	177	13	PG
Embutido de carne de pavo	236	20	PG
Embutido de cebada, pr	212	12	G
Embutido de guisantes con tocino ahumado, 1 plato	70	2	G
Embutido de hígado a la campesina	203	15	G
Embutido de hígado con cebollino	255	21	G
Embutido de hígado de oca	500	18	G
Embutido de hígado de pavo	154	10	G
Embutido de hígado de ave, grueso	198	14	PG
Embutido de hígado de ave, Fino	230	18	PG
Embutido de hígado de ternera	257	21	PG
Embutido de hígado trufado	326	25	G
Embutido de jamón	310	30	G
Embutido de lengua, pr	290	9	G
Embutido de pavo	158	10	G
Embutido de pechuga	129	5	G
Embutido de pimiento	129	5	G
Embutido de salmón	122	2	P
Embutido de ternera, 30 g	100	9	G
Embutido vegetal para untar, 1 ración	43	4	G
Endivias	17	0,2	MV
Eneldo fresco, 1 manojo	5	*	V
Eneldo, GL, Iglo, 25g	17	1	V
Ensalada de apio	25	0,2	B
Ensalada de arenque	173	13	G
Ensalada de ave	154	9,5	GH
Ensalada de brócoli	167	13	GH

	kcal	Grasa g	VN
Ensalada de cangrejo con mayonesa, pr	300	40	G
Ensalada de cangrejos	169	13	G
Ensalada de carne con hierbas	302	30	G
Ensalada de col blanca	60	5	B
Ensalada de champiñones	204	21	G
Ensalada de Dalmacia	37	0,2	H
Ensalada de fruta con yogur, distintas variedades, pr	80	1,8	H
Ensalada de fruta	79	0,5	H
Ensalada de frutas con crema de yogur	104	3,0	H
Ensalada de hojas de encina	18	0,3	V
Ensalada de judías	70	0,4	P
Ensalada de judías con queso Feta	132	4	H
Ensalada de patata, 250 g	210	6	GH
Ensalada de patata con aceite y vinagre	110	6	H
Ensalada de patata con huevo y pepino	195	15	GH
Ensalada de patata con salsa de yogur	123	7	H
Ensalada de patata con salsa mayonesa	155	11	GH
Ensalada de pavo	157	9,8	P
Ensalada de remolacha	42	0,1	MV
Ensalada de tofu, distintas variedades	289	27,1	G
Ensalada de zanahoria	36	0,2	V
Ensalada griega	142	10	GH
Ensalada jardinera	24	0	
Ensalada mexicana	68	0,7	H
Ensalada Puszta	29	0,2	
Ensalada romana	17	0,2	V
Ensalada verde	14	0,4	MV
Ensalada Waldorf	224	21	G

VN = Valor nutricional

G = muy rico en grasas – consumir con precaución

M = muy rico en minerales – consumo preferente

B = rico en fibra – consumir cuando sea necesario

P = muy rico en proteínas – consumo preferente

H = rico en carbohidratos – consumo con moderación

V = muy rico en vitaminas – consumo preferente

ALIMENTOS Y BEBIDAS DE LA «A» A LA «Z»

E

	kcal	Grasa g	VN
Entrecot	126	5	PG
Escalonia	28	0,3	
Escalonia con ajo y aceite	17	*	
Escalopa a la Vienesa, GL	164	5,5	GH
Escaramujos	90	0	V
Escarola natural, 500 g	66	0,8	V
Escarola	17	0,2	V
Espaguetinis con salsa de tomate	108	4	H
Espaguetinis, Buitoni, (crudos)	362	1,7	H
Espaguetis con espinacas y alcachofas	348	0,4	H
Espaguetis de carraón, crudos	335	3,4	H
Espaguetis, Buitoni	360	1,7	H
Espaguetis, crudos	360	2	H
Espaguetis, de germen de trigo	370	2	H
Espalda de corzo	133	3,7	P
Espárragos	18	0,1	MV
Espárragos (lata)	13	0,1	MV
Especias, 1 CS	1	*	MV
Espetón	86	0,9	P
Espinaca	27	0,3	MV
Espinacas con Gorgonzola, GL	95	5,7	GV
Espinacas con nata, GL, Bonduelle	68	3,3	G
Espinacas con salsa de crema de leche, GL	63	3,4	G
Espinacas, en porciones, GL, 125 g	34	0,5	V
Espinacas, GL	27	0,5	V
Espirales, pasta de trigo duro, cocida	145	0,5	H
Estofado de carne de ave de ave	288	28	G
Estofado de corzo, GL, 250 g	257	7,5	PH

	kcal	Grasa g	VN
Estofado de pollo, GL, 260 g	180	8,2	G
Estofado de pollo, GL, 300 g	336	19	G
Estofado de soja, 300 g	303	15	G
Estragón picado, 1 CS	5	*	V
Estrellas de canela	500	27	GH
Extracto de bayas, 0,25 l, pr	233	0	
Extracto de carne, 1 CT	15	1	PG
Extracto de dátiles, 1 CS 1 CS	40	*	H
Extracto de levadura de cerveza, 1 CS	23	0,5	V
Extracto de melocotón, 0,2 l	170	0	
Extracto de tomate, 1 CS	27	1,6	

F

	kcal	Grasa g	VN
Fagottini con albahaca y ricotta, Buitoni, fresco, 125 g	381	11	H
Faisán	170	3	P
Falda de cerdo	281	23	G
Fanfare, rollitos, 1 pieza	32	2	GH
Fanta de naranja, 0,2 l	70	0	
Fanta light, 0,2 l	15	0	
Farfalle tricolores, Buitoni, crudos	352	1,9	H
Farfalle, Buitoni, crudos	362	1,7	H
Fécula alimentaria	353	0	H
Fécula alimentaria, 1 CT	18	0	H
Fécula de arroz	343	0	H
Fécula de arroz, 1 CS	69	0	H
Fécula de arroz, 1 CT	23	0	H
Fécula de maíz	346	0	H
Fécula de maíz, 1 CS	52	0	H
Fécula de maíz, 1 CT	18	0	H
Fécula de trigo	350	0	H

VN = Valor nutricional

G = muy rico en grasas – consumir con precaución

M = muy rico en minerales – consumo preferente

B = rico en fibra – consumir cuando sea necesario

P = muy rico en proteínas – consumo preferente

H = rico en carbohidratos – consumir con moderación

V = muy rico en vitaminas – consumo preferente

F

	kcal	Grasa g	VN
Fécula de trigo, 1 CS	70	0	H
Fendant, 0,25 l	167	0	
Ferrero Rocher, 1 pieza	72	5	GH
Fetaki	220	17	PG
Fideos con jamón, Maggi, 1 bolsa	647	8,1	GH
Fideos de patata	375	3	H
Fideos	175	21	H
Filegro a la molinera, GL, Iglo	143	7	PG
Filegro con salsa a las hierbas, GL, Iglo	114	6	PG
Filete «Cordon Bleu», 150 g	450	32	G
Filete de anchoa, 1 pieza	15	0,2	
Filete de arenque	210	14	G
Filete de arenque ahumado	241	14	G
Filete de arenque en salsa de tomate	217	13	G
Filete de arenque en salsa de eneldo	308	29,2	G
Filete de arenque en salsa Remoulada	411	40	G
Filete de arenque fresco, 1 pieza, 80 g	230	18	G
Filete de cerdo	105	2	P
Filete de cordero	122	3,4	P
Filete de mero	114	4	PG
Filete de pechuga de pato, marinado, GL	208	15,2	PG
Filete de pechuga de pollo rebozado, GL	109	1	P
Filete de pechuga de pollo sin rebozar, GL	89	1	P
Filete de res	126	5	PG
Filete de salmón de Alaska, GL	81	1	P
Filete de salmón en hojaldre, GL	288	19,1	GH
Filete de salmón marino, GL	80	0,3	PG

	kcal	Grasa g	VN
Filete de ternera	104	1,6	P
Filete de tiburón	270	21	PG
Filete de vaca	126	5	PG
Filetes de ave rebozados, GL, Iglo	259	15	G
Filetes de caballa en salsa de tomate	172	12	G
Filetes de pavo, GL	106	2	P
Filetes de pescado, GL	136	9,5	PG
Filetes de rodaballo, GL, Iglo	86	2	P
Filetes de sardina en aceite, escurridos, 1 pieza	15	0,2	G
Filetes fritos al estilo Kentucky, GL	231	10,9	PH
Fish & Chips «Sweet Hot Dip», GL	191	6,8	GH
Fitness con frutas, Nestlé, 40 g, con leche desnatada	200	3	H
Fitness, Nestlé, 30 g, con leche desnatada	149	1	H
Flan, 1 ración, 125 g	80	0	H
Flan de chocolate	91	3	GH
Flan de nata, distintas variedades 150 g, pr	240	13,2	GH
Flan de nata, pr	158	9	GH
Flan de vainilla con salsa de chocolate, Nestlé, 1/4 de tarrina	118	3	H
Flan de vainilla, 1 ración	212	15	GH
Flan en polvo, 1 paquete, pr	128	0,1	H
Flan en polvo, distintas variedades, 1 ración, pr	105	3,2	H
Flan en polvo, preparado, 1 ración	108	3,1	H
Focaccia «Pomodori», GL	286	10	GH
Foiegras	230	9	G
Foiegras, Bloc	200	9	G

VN = Valor nutricional
G = muy rico en grasas – consumir con precaución
M = muy rico en minerales – consumo preferente
B = rico en fibra – consumir cuando sea necesario

P = muy rico en proteínas – consumo preferente
H = rico en carbohidratos – consumir con moderación
V = muy rico en vitaminas – consumo preferente

F	kcal	Grasa g	VN
Foiegras au naturel	250	9	G
Fondant en cubitos, 1 pieza	60	0	H
Fondor, especias, 1 cubito, Maggi	0	0	
Fondor, hierbas aromáticas, Maggi, 1/2 CT	0	0	
Fondue de queso, 100 g con pan	372	21	G
Framboise, 2 cl	65	0	
Frambuesas	33	0,3	V
Frambuesas, GL	40	0,3	V
Frankfurter Kranz, 1 pieza	200	12	GH
French Dressing, Kraft, 1 CS	46	4	G
Fresas	32	0,4	V
Fresas (en lata)	77	0,2	
Fresas con nata,	240	13	G
Fríjoles	33	0,3	V
Fríjoles con chile, Bonduelle	64	0,5	BV
Fríjoles frescos, 500 g	158	1,4	V
Fructosa	400	0	H
Fructosa dietética,	390	0	H
Fructosa, 1 CS	80	0	H
Fructosa, 1 CT	40	0	H
Fructosa para glaseado	385	0	H
Fruta de la pasión	67	0,4	MV
Fruta de la pasión, 1 pieza, 40 g	27	0,2	MV
Fruta seca, pr	280	0,8	BH
Fruta seca variada	269	0,8	BH
Frutas glaseadas	250	*	H
Frutitas de colores, light, 7,5 g	157	*	H
Fruto del árbol del pan	75	0,3	
Frutos del mar en aceite	122	6	P
Frutos secos, variados	236	0,6	B
Fruttis, postre de fruta light	44	0,7	H

G	kcal	Grasa g	VN
Galletas After Eight, 1 pieza	26	1	H
Galletas con semillas de lino	451	12	BH
Galletas Crackers	475	19	GH
Galletas de albaricoque light	439	21	GH
Galletas de arroz crujiente	382	2,3	P
Galletas de avellanas light	463	23	GH
Galletas de avena y carraón	475	23	GH
Galletas de biscuit	22	1,4	GH
Galletas de carraón integral	492	28	GH
Galletas de chocolate amargo 1 pieza	70	4	GH
Galletas de frutos del bosque	445	17	GH
Galletas de mantequilla light	430	10,2	H
Galletas de mantequilla, 1 pieza	22	0,6	H
Galletas de müsli integral	461	23	GH
Galletas de müsli, light, 1 pieza	29	1,2	BG
Galletas de müsli light con fructosa, 1 pieza	29	1,2	GH
Galletas de pastelería, HM, 1 pieza	98	3	H
Galletas de sémola, 1 pieza	83	5	GH
Galletas de sésamo	470	22	GH
Galletas de trigo integral light, 1 pieza	30	1,6	GH
Galletas en corazón, DeBeukelaer	499	22	GH
Galletas Granola De Beukelaer	487	24	GH

VN = Valor nutricional
G = muy rico en grasas – consumir con precaución
M = muy rico en minerales – consumo preferente
B = rico en fibra – consumir cuando sea necesario

P = muy rico en proteínas – consumo preferente
H = rico en carbohidratos – consumir con moderación
V = muy rico en vitaminas – consumo preferente

ALIMENTOS Y BEBIDAS DE LA «A» A LA «Z»

G

	kcal	Grasa g	VN
Galletas integrales sin azúcar	25	1	G
Galletas para diabéticos, 1 pieza	94	4,5	GH
Galletas Príncipe, DeBeukelaer, 1 pieza, 20 g	104	5	GH
Galletas tostadas ligeras, Wasa, 1 pieza	26	0	B
Galletas Tuc, DeBeukelaer	505	25	GH
Galletas Tuc, DeBeukelaer, 1 pieza	20	1	GH
Galletas y barquillos de chocolate, pr	480	24	GH
Galletitas con pimienta, 1 pieza	25	0,8	H
Galletitas de cacahuete light	476	26	GH
Gallina asada	166	10	PG
Gallina para el caldo	274	20	G
Gallina silvestre	166	9	PG
Gallina silvestre, 1 pieza	850	46	PG
Gambas	96	1,5	P
Gambas, 1 cola, pelada, 39 g	29	0,5	P
Gambas de alta mar, GL, Eismann	69	1	P
Gamo	122	3	P
Ganso salvaje	124	4	PG
Garbanzos, 1 ración (= 60 g crudos)	210	2	P
Gelatina,1 hoja	36	0	P
Gelatina, en polvo, 1 paquete	34	0	P
Gelatina de ave, 25 g	60	4	
Gelatina de frambuesa, 1 CT	26	*	H
Gelatina de frutas variadas	531	0	H
Gelatina de frutos del bosque light, 1 CT	18	0,1	H

	kcal	Grasa g	VN
Gelatina de jengibre y miel	346	9	H
Gelatina de limón, 1 CT	31	*	H
Gelatina de manzana, 1 CT	26	0,1	H
Gelatina de moras, 1 CT	20	0	H
Gelatina de naranja, 1 CT	31	0	H
Germen de cebada	368	1,4	BP
Germen de cebada, 1 CS	74	0,3	BP
Germen de centeno, 1 CS	42	0,9	BV
Germen de centeno, seco	404	11	BV
Germen de soja (en lata)	35	1	P
Germen de soja	49	1	P
Germen de trigo dietético 1 CS, 10 g	33	0	B
Germen de trigo	350	10	V
Germen de trigo, 1 CS	35	1	V
Germinado de avena, 1 CS	80	1	P
Gin Fizz (5 cl de ginebra), 0,2 l	195	0	
Gin, 40 %, 2 cl	65	0	
Ginebra, 2 cl	65	0	
Ginger Ale, Schweppes, 0,2 l	74	0	H
Gin-Tonic (2 cl de ginebra)	140	0	
Gin-Tonic, Schweppes, light, (2 cl de ginebra), 0,2 l	70	0	
Giotto, 1 pieza, Ferrero	28	2	G
Glaseado para repostería, distintas variedades, pr	613	45	GH
Glucosa, 1 CS	40	0	H
Glucosa, 1 tableta, 5 g	20	0	H
Glutamato, 1 CT	2	0	
Gnocchi con albahaca	186	2,7	H
Gnocchi de patata, Buitoni, frescos, 125 g	196	1	H
Gnocchi, Buitoni, crudos	362	1,7	H

VN = Valor nutricional
G = muy rico en grasas – consumir con precaución
M = muy rico en minerales – consumo preferente
B = rico en fibra – consumir cuando sea necesario

P = muy rico en proteínas – consumo preferente
H = rico en carbohidratos – consumo con moderación
V = muy rico en vitaminas – consumo preferente

G

	kcal	Grasa g	VN
Gnocchi	191	3,3	H
Gnocchi, GL, Eismann	162	1	H
Gofres con crema de limón light	559	35	GH
Gofres con vainilla y crema light, 1 pieza	33	1,8	GH
Gofres light	529	33	GH
Gofres pequeños de leche, 1 paquete, 75 g	399	21	GH
Golden Sprinter	243	11	GH
Goulasch de ciervo, GL	107	3,6	G
Goulasch de vaca, 1 ración	370	10	PH
Gourmet-Bouillon, Maggi, distintas variedades, pr	3	0,1	
Grageas de chocolate	380	22	GH
Grageas de chocolate, 4 piezas	24	1,4	GH
Granada	77	0,6	V
Granadilla	75	0,4	V
Grand Marnier, 2 cl	65	0	
Granizado de café con leche, Nestlé, 0,2 l	186	7	GH
Grano verde, 1 CS	53	0,4	P
Granos de mostaza	263	0	
Granos de mostaza, 1 CS	29	0	
Grasa de coco	880	96	G
Grasa de coco, 1 CS	88	10	G
Grasa de chicharrones	920	99	G
Grasa de jamón	658	35	G
Grasa de oca	900	90	G
Grasa de oca, 1 CS	90	9	G
Grasa de pollo	945	99	G
Grasa vegetal con manzana y cebolla	830	90	G
Grasa vegetal light	900	100	G
Grasa vegetal light, 1 CS	90	10	G
Grasa vegetal	900	100	G
Grasa vegetal, 1 CS	90	10	G
Grog (4 cl de ron y dos terrones de azúcar)	180	0	

	kcal	Grasa g	VN
Grog de huevo, 0,2 l	300	0	
Grog de té, 0,2 l	240	0	
Grosella espinosa de El Cabo	92	1	MV
Grosella espinosa	17	0,2	V
Grosellas blancas	30	*	BV
Grosellas negras	39	0,2	BV
Grosellas rojas	33	0,2	BV
Guave	35	0,5	V
Guave, 1 pieza, 150 g	48	0,7	V
Guindas (lata)	70	0	
Guindas	60	0	V
Guindillas picantes, 1 pieza	18	0,2	
Guisantes	70	0,5	BV
Guisantes con vaina	269	1,4	BV
Guisantes con zanahorias (frasco o lata)	47	0,7	B
Guisantes con zanahorias pequeñas, Bonduelle	48	0,4	B
Guisantes con zanahorias, GL	52	0,3	B
Guisantes naturales, 500 g	158	1	BV
Guisantes secos	550	35	GH
Gulasch, GL, 250 g, pr	260	11	G
Gulasch de soja con vegetales, 1 ración, 200 g	245	14	PG
Gulasch de soja, 1 ración	180	10	PG
Gulasch de ternera, en lata, 125 g	160	8	G
Gustin	349	0,1	H
Gustin 1 CT	17	*	H

H

	kcal	Grasa g	VN
Halibut, blanco	90	3	PG
Halibut, blanco, pieza de 200 g natural	130	4	PG
Halibut, negro, ahumado	238	17	PG

VN = Valor nutricional

G = muy rico en grasas – consumir con precaución

M = muy rico en minerales – consumo preferente

B = rico en fibra – consumir cuando sea necesario

P = muy rico en proteínas – consumo preferente

H = rico en carbohidratos – consumir con moderación

V = muy rico en vitaminas – consumo preferente

H

	kcal	Grasa g	VN
Halibut, negro, ahumado, pieza de 200 g	362	26	PG
Hamburguesa de ave, GL, Iglo	271	11	GH
Hamburguesa vegetal, GL, Iglo, 1 porción	134	6	GH
Hanuta, 1 pieza	121	7,5	GH
Harina, tipo 405	335	1	H
Harina, tipo 405, 1 CS	67	0,2	H
Harina, tipo 405, 1 CT	22	0,1	H
Harina de 4 cereales	340	2	BH
Harina de almidón de patata	349	0	
Harina de almidón de patata, 1 CS	53	0	
Harina de arroz	371	2,4	H
Harina de arroz, 1 CS	74	0,5	H
Harina de avena, 1 CS	82	1	P
Harina de carraón	325	5	
Harina de cebada	369	1,9	BP
Harina de centeno integral, tipo 1150	319	1,3	B
Harina de centeno, tipo 997	312	1,1	BH
Harina de centeno, tipo 997, 1 CS	62	0,2	BH
Harina de fécula	360	0	H
Harina de fécula, 1 CT	18	0	H
Harina de grano verde	352	3	
Harina de maíz	333	2,8	P
Harina de patatas	349	0	P
Harina de polenta	333	2,8	
Harina de polenta, 1 CS	67	0,6	
Harina de sagú	349	0	BH
Harina de sagú, 1 CS	70	0	BH
Harina de soja con toda su grasa, 1 CS	70	4	PG
Harina de soja sin grasa, 1 CS	50	1	P
Harina de trigo	363	1	H
Harina de trigo, tipo 405	335	1	H

	kcal	Grasa g	VN
Harina de trigo, tipo 1050	340	2	H
Harina de trigo sarraceno integral	351	1,7	H
Harina de trigo sarraceno integral, 1 CS	70	0,3	H
Harina de trigo, muy fina	350	0	H
Harina de trigo, muy fina, 1 CS	53	0	H
Harina para rebozar	280	3	H
Harina para rebozar, 1 CS	83	0,6	H
Helados variedades:			
Banana Split clásico	209	10,4	H
Batido de limón, 1 pieza	207	9,7	GH
Beach Cola, 1 pieza	129	0	H
Bounty, 1 pieza	169	12	GH
Calippo Cola, 1 pieza	87	0	H
Capri, 1 pieza	53	0,1	H
Caretta de naranja, 1 pieza	59	0	H
Corneto de avellana, 1 pieza	248	13,5	GH
Corneto de fresa, 1 pieza	232	8,9	GH
Corneto Royal de chocolate y avellanas, 1 pieza	341	18,8	GH
Cremissimo de nata y trufa	153	6,6	GH
Cremissimo de stracciatella	241	11,3	GH
Cremissimo de yogur y frutas del bosque	221	10,6	GH
Crocanti almendrado,	227	11,3	GH
Chocolatinas heladas para diabéticos	158	11	GH
Helado blando de frutas, 1 porción, 50 g	50	3	GH
Helado blando de leche, 1 porción, 50 g	70	4	GH
Helado de chocolate para diabéticos, 1 pieza	166	11,9	GH
Helado de chocolate, 1 bola, 75 g	200	10	GH

VN = Valor nutricional

G = muy rico en grasas – consumir con precaución

M = muy rico en minerales – consumo preferente

B = rico en fibra – consumir cuando sea necesario

P = muy rico en proteínas – consumo preferente

H = rico en carbohidratos – consumir con moderación

V = muy rico en vitaminas – consumo preferente

H

	kcal	Grasa g	VN
Helado de fresas con nata	201	9	GH
Helado de fresas del bosque	199	8,9	GH
Helado de leche, 1 bola, 75 g	155	9	GH
Helado de manzana	224	11,5	GH
Helado de nata, 1 bola, 75 g	155	9	GH
Helado de nueces	141	9,6	GH
Helado de trufa	189	12,6	GH
Helado de vainilla al bourbon 1 pieza	23	1,7	GH
Helado de vainilla, 1 bola, 75 g	150	9	GH
Helado de yogur con nata	124	5,9	GH
Helados de frutas, 1 bola, 75 g	105	1	H
M & M's	226	12	GH
Magnum almendrado, 1 pieza	316	20,4	GH
Magnum Classic, 1 pieza	282	17,3	GH
Manhattan de fresa y vainilla	178	6,7	GH
Manhattan de limón y vainilla	150	3,4	GH
Mars	243	15	GH
Mini Milk con vainilla, 1 pieza	33	0,7	H
Pera Helena, mini, 1 pieza	225	11,7	GH
Royal de trufa con nueces	213	11	GH
Snickers	183	12	GH
Solero, Exotic, 1 pieza	113	3,5	H
Sorbete de limón	123	0,3	H
Tarrina light de chocolate y vainilla	192	1,7	H
Tarrina light de vainilla y fresa	180	1,7	H
Tarrina light, 1 pieza, pr	73	2	H
Tarta After-Eight, 750 ml	193	11	GH

	kcal	Grasa g	VN
Viennetta, distintas variedades pr	253	16	GH
Herbadox, 1 CT	6	0	
Hierba de los canónigos	14	0,4	MV
Hierba de piña	33	1,5	B
Hierbas aromáticas de Italia, GL, Iglo	12	0	MV
Hierbas aromáticas para la ensalada, GL, Iglo, 25 g	12	0	V
Hierbas de Provenza, GL, Iglo, 25 g	12	0	MV
Hierbas, Knorr, 1 cubito, pr	42	3	G
Hígado de cerdo	123	3	
Hígado de cordero	131	4	P
Hígado de gallina	170	6	G
Hígado de oca	230	9	G
Hígado de pavo	147	5	PG
Hígado de pollo	147	6	PG
Hígado de ternera	140	4,1	P
Hígado de vaca	100	2	
Higos azucarados	296	0,2	H
Higos chumbos, 1 pieza, 100 g	38	0,7	MV
Higos frescos	61	0,5	MV
Higos frescos, 1 pieza, 60 g	37	0,3	MV
Higos secos	242	1,3	BH
Higos secos, 1 pieza, 15 g	36	0,2	BH
Hinojo	24	0,3	MV
Hinojo natural, 500 g	96	1,2	MV
Hojas de diente de león	52	0,6	V
Hojas de hinojo	20	*	
Hojas de mantequilla	512	24	G
Huevas de arenque	140	3	P
Huevo, 1 pieza, 55-60 g	84	6	G
Huevo de Pascua relleno de crema, 1 pieza, pr	100	8	GH
Huevo de Pascua, turrón, 1 pieza, aprox. 20 g	106	6	GH
Huevo de Pascua, leche, 4 peq., cada uno aprox. 5 g	105	6	GH

VN = Valor nutricional
G = muy rico en grasas – consumir con precaución
M = muy rico en minerales – consumo preferente
B = rico en fibra – consumir cuando sea necesario

P = muy rico en proteínas – consumo preferente
H = rico en carbohidratos – consumir con moderación
V = muy rico en vitaminas – consumo preferente

ALIMENTOS Y BEBIDAS DE LA «A» A LA «Z»

H

	kcal	Grasa g	VN
Huevo de pato, 1 pieza	198	15	PG
Huevo deshidratado, 10 g	57	4	G
Huevo en polvo, entero, 1 CS, 10 g	60	4	G
Huevo en polvo, sin yema, 12,5 g	72	4,9	G
Huevo frito, 1 pieza	120	9	G
Huevos de chocolate con leche	520	31	GH
Huevos de Pascua con cobertura de azúcar	390	0	H
Huevos de Pascua, Haribo	390	0	H
Huevos revueltos, 1 un.	120	9	G

I

	kcal	Grasa g	VN
I love Milka, bombones de nugat y nueces, Milka	555	35	GH
I love Milka, light, bombones de nugat y nueces, Milka	497	31	GH
I love Milka, mazapán, Milka	515	28	GH
Infusión de hierbas	0	0	
Iso Energie (lata), 0,25 l	105	0	H
Isostar, 0,25 l	68	0	H

J

	kcal	Grasa g	VN
Jabalí	113	2	P
Jalea de bayas	350	0	H
Jalea de fresa, 1 CT	17	0,1	H
Jalea de grosellas, 1 CT	26	*	H
Jamón a la cerveza	154	10	PG
Jamón a la cerveza, pr	169	11	G
Jamón ahumado, crudo	366	33	G

	kcal	Grasa g	VN
Jamón ahumado, crudo, con el borde de grasa	366	33	G
Jamón al enebro, caliente, ahumado	174	10	G
Jamón cocido	135	3	P
Jamón cocido de varias clases, 30 g	100	2	H
Jamón con ensalada de puerros	137	10	G
Jamón de las Ardenas	264	10	G
Jamón de Parma	340	30	PG
Jamón de pavo, cocido	126	5	G
Jamón de reno	264	25	PG
Jamón dulce, 80 g	90	2,3	
Jamón en lonchas	200	15	G
Jamón enrollado	252	25	PG
Jamón para cocinar	135	3,3	
Jarabe de arce, 1 CS	48	0	H
Jarabe de cerezas amargas, 1 CS	58	0	V
Jarabe, 1 CS	58	0	
Jarabe de cerezas, 1 CS	40	0	H
Jarabe de frambuesa, 1 CS	55	*	
Jarabe de fruta, 1 CS, pr	55	0	H
Jarabe de grosellas, negro, 1 CS	58	0	V
Jarabe de jengibre, 1 CS	55	*	H
Jarabe de moras, 1 CS	58	0	
Jarabe de remolacha	275	0,5	H
Jarabe de remolacha, 1 CS	55	0,1	H
Jarabe de remolacha, 1 CS	55	*	H
Jarabe light	300	0	H
Jarabe light, 1 CS,	60	0	H
Jarabe para diabéticos, 1 CS	60	0	H
Jengibre, 10 g	5	*	MV
Jerez dulce, 5 cl	65	0	
Jerez seco, 5 cl	58	0	

VN = Valor nutricional

G = muy rico en grasas – consumir con precaución
M = muy rico en minerales – consumo preferente
B = rico en fibra – consumir cuando sea necesario

P = muy rico en proteínas – consumo preferente
H = rico en carbohidratos – consumir con moderación
V = muy rico en vitaminas – consumo preferente

J

	kcal	Grasa g	VN
Jerez, Tío Pepe, Fino, 5 cl	49	0	
Judías blancas	262	1,6	BP
Judías blancas, Bonduelle	87	0,5	BP
Judías extra, GL	77	0,5	HV
Judías verdes	35	0,3	MV
Judías verdes en lata	23	0,2	
Judías verdes finas	24	0,5	BV
Judías verdes frescas, 500 g	167	1,4	MV
Judías Kidney, 1 ración (= 60 g crudas)	210	1	P
Jugo de arenque	115	3	
Jugo para el asado, preparado instantáneo, Maggi, 1 CS	6	0,5	G

K

	kcal	Grasa g	VN
Kaba, 1 CT	20	0,2	H
Kaki, mediano, 250 g	175	1	V
Karambola	37	0,2	V
Kaschkaval, queso de oveja	346	36	PG
Katjes, pastillas de goma	333	0	H
Katjes, patitas de gato	337	0	H
Kéfir, 1,5 %, 1 tarrina	70	2	P
Kéfir, 3,5 %, 1 tarrina	80	4	PG
Kéfir, bajo en grasas, 250 g	115	4	PG
Kéfir, con nata, 150 g	188	15	PG
Kéfir, de leche entera, 250 g	165	9	PG
Kéfir de frutas, 1,5 %	49	1,5	P
Kéfir de frutas, 10 %	145	8	PG
Ketchup	105	1	H
Ketchup, 1 CS	21	0,2	H
Ketchup al curry	76	0,2	H
Ketchup con especias, Kraft, 1 CS	15	0,1	H
Ketchup de tomate	122	0,1	H
Ketchup de tomate,1 CS, pr	30	*	H

	kcal	Grasa g	VN
Ketchup de tomate, Mc Donald's	116	0,2	H
Ketchup picante, 1 CS	21	0,2	G
Kibbelings, GL, Eismann	157	9	PG
Kinder Bueno, Ferrero, 1 pieza	123	8,3	GH
Kinder Country, Ferrero, 1 barrita	131	8,3	GH
Kinder Chocobon Ferrero, 1 pieza	33	2,2	GH
Kinder Happy Hipo, Snack, Ferrero, 1 pieza	118	8,4	GH
Kinder Maxi King, Ferrero, 1 pieza	174	12,5	GH
Kinder Prof. Rino Ferrero, 1 pieza	118	8,8	GH
Kinder Sorpresa Ferrero, 1 pieza	116	7,3	GH
Kinder, Pingüi, Ferrero, 1 pieza	136	9,2	GH
Kirl Royal, 0,1 l	86	0	
KitKat, 4 barritas, Nestlé	230	12	GH
KitKat, chunki, 1 barrita	283	15	GH
KitKat, mini, 1 barrita	85	4	GH
Kiwi, 1 pieza, 80 g	35	0,4	V
Knacki de pollo, 1 pieza	81	7,5	G
Kombucha (bebida de uva y jengibre)	41	*	H
Kroepoek	530	26	GH
Kumquat en almíbar	175	0,4	H
Kumquat	42	0,2	MV
Kumquat, 1 pieza, 10 g	4	*	MV

L

	kcal	Grasa g	VN
Langostinos	91	1	P
Langostinos	96	1,5	P
Langostinos, 1 cola, 15 g	12	0	P

VN = Valor nutricional
G = muy rico en grasas – consumir con precaución
M = muy rico en minerales – consumo preferente
B = rico en fibra – consumir cuando sea necesario

P = muy rico en proteínas – consumo preferente
H = rico en carbohidratos – consumir con moderación
V = muy rico en vitaminas – consumo preferente

L

	kcal	Grasa g	VN
Lasaña de salmón, GL	152	8	PG
Lattela vitaminado, Danone	26	0,1	V
Le Kir, 0,2 l	136	0	
Leche agria, 3,5 %, 0,25 l	165	9	PG
Leche con cacao, 0,25 ml	250	10	GH
Leche condensada, 4 %	128	4,1	G
Leche condensada, 15 %, 1 CT	13	1	G
Leche condensada, 10 %, envase para una taza, 7,5 g	13	1,5	G
Leche condensada, 7,5 %	133	8	G
Leche condensada, azucarada, 1 CT	17	*	H
Leche condensada, 10 %	177	10	G
Leche condensada, 15 %	265	15	G
Leche condensada, azucarada	269	0,2	H
Leche condensada, 4 %, 1 CT	5	0,2	G
Leche condensada, 7,5 %, 1 CT	7	0,5	G
Leche condensada, 10 %, 1 CT	9	1	G
Leche condensada, 12 %, 1 CT	9	1	G
Leche de burra, 0,25 l	108	3	P
Leche de cabra, 1/8 l	85	5	G
Leche de coco, 0,2 l	20	0,1	
Leche de oveja, 6 %, 0,25 l	243	15	G
Leche de soja, 0,2 l	105	4	PG
Leche descremada, 1,5 %, 0,2 l	95	3	P
Leche dietética en polvo	346	0,7	P
Leche dietética, 0,25 l	88	0,3	P
Leche en polvo, light, 25 g	90	*	P

	kcal	Grasa g	VN
Leche entera dietética	567	37,8	H
Leche entera en polvo, 12 g	60	3	G
Leche entera, 3,5 %, 0,25 l	160	9	G
Lechuga Flamenca	10	0	V
Lechuga iceberg	13	0,3	V
Lechuga iceberg fresca, 500 g	55	1,3	V
Lechuga rizada	17	0,2	V
Legumbres sin pelar, cocidas, pr	140	1,6	BP
Legumbres, pr	316	1,6	BP
Legumbres, peladas y cocidas, pr	190	1,6	BP
Lengua de buey, corte	223	14	G
Lengua de cerdo	240	17	G
Lengua de cordero	200	15	G
Lengua de ternera	124	6	G
Lengua de vaca	223	14	G
Lengua en salazón	230	16	G
Lengua, ahumada	385	28	G
Lenguado	90	3	PG
Lenguas de gato, 1 pieza	30	2	H
Lentejas, Bonduelle	106	1,3	BH
Levadura con especias, 1 CS	35	0	MV
Levadura de cerveza líquida, 1 CS	8	0	V
Levadura de cerveza, 1 CS	35	0,6	M
Levadura de pan, 20 g	20	0,5	V
Levadura de pan, 1 cubito	40	1	V
Levadura en polvo, 7 g	7	*	
Levadura nutritiva, sin sal, 1 CS	29	0	V
Levadura seca, 7 g	25	0	V
Levadura seca, 1 paquete	23	0,2	
Licor Benedictine, 40 %, 2 cl	75	0	

VN = Valor nutricional
G = muy rico en grasas – consumir con precaución
M = muy rico en minerales – consumo preferente
B = rico en fibra – consumir cuando sea necesario

P = muy rico en proteínas – consumo preferente
H = rico en carbohidratos – consumir con moderación
V = muy rico en vitaminas – consumo preferente

L

	kcal	Grasa g	VN		kcal	Grasa g	VN
Licor Danziger Goldwasser, 38 %, 2 cl	75	0		Licor de té, 35 %, 2 cl	52	0	
Licor de albaricoque, 2 cl	50	0		Licor Doornkaat, 38 %, 2 cl	42	0	
Licor de anís, 2 cl	75	0		Licor Doppelkorn, 38 %, 2 cl	44	0	
Licor de café, pr, 30 %, 2 cl	85	0	H	Licor Doppelwacholder, 38 %, 2 cl	42	0	
Licor de cerezas, 40 %, 2 cl	45	0		Licor Dubonnet, 5 cl	60	0	
Licor de ciruela, 40 %, 2 cl	60	0		Licor Escorial verde, 56 %, 2 cl	80	0	
Licor de comino, 35 %, 2 cl	60	0		Licor Tokaji Aszu, 5 cl	62	0	
Licor de crema de cacao, 27 %, 2 cl	70	0		Licor Tokay, 5 cl	80	0	
Licor de crema de Grand Marnier, 17 %, 2 cl	67	0		Licor, 2 cl, pr	65	0	
				Licores de frutas, 20 %, 2 cl, pr	45	0	H
Licor de crema de menta, 30 %, 2 cl	75	0		Licores de frutas, 30 %, 2 cl, pr	65	0	H
Licor de damascos, 2 cl	65	0		Lichis	75	0,3	MV
Licor de enebro, 32 %, 2 cl	42	0		Lichis, 1 pieza, 30 g	20	0,1	MV
Licor de frambuesa, 40 %, 2 cl	47	0		Lichis en almíbar	130	0,6	H
				Liebre	124	4	P
Licor de genciana, 38 %, 2 cl	55	1		Ligazón para salsas (en polvo), Maggi, 1/4 l, preparado	83	2	
Licor de grano, 32 %, 2 cl	38	0		Lima, 1 pieza, 60 g	15	0,2	V
Licor de grosellas (Cassis), 2 cl	65	0	H	Limequat	42	0,2	MV
Licor de hierbas, pr, 35 %, 2 cl	60	0		Limón, 1 pieza, 80 g	19	0,3	V
				Limón, 1 pieza, 60 g	15	0,2	V
Licor de huevo, 20 %, 2 cl	50	0		Limonada con azúcar, 0,33 l, pr	160	0	H
Licor de Jerez, 5 cl	77	0		Limonada con edulcorante	0	0	
Licor de mandarina, Marie Brizard, 30 %, 2 cl	55	0		Limonada, baja en calorías, 0,33 l, pr	30	0	H
Licor de manzana, 2 cl	65	0		Lion Kingsize, 1 barrita	337	15	GH
Licor de menta, 30 %, 2 cl	72	0		Lion Mini, 1 barrita	75	3	G
Licor de patata, 40 %	221	0		Lion, 1 barrita	220	10	GH
Licor de pera, 2 cl	60	0		Llantén, crudo	120	0,2	
Licor de plátano, Marie Brizard, 2 cl	65	0		Lomo de corzo	106	1,3	P
				Lonchas de queso natural (Edam, Gouda)	263	17	G

VN = Valor nutricional
G = muy rico en grasas – consumir con precaución
M = muy rico en minerales – consumo preferente
B = rico en fibra – consumir cuando sea necesario

P = muy rico en proteínas – consumo preferente
H = rico en carbohidratos – consumir con moderación
V = muy rico en vitaminas – consumo preferente

L

	kcal	Grasa g	VN
Lonchas de queso fundido	212	12	PG
Lonchas de salmón de Alaska en aceite	150	8	P
Lonchas de salmón 30 g	39	1	H
Lonchas Pizzarella, 45 % de grasa, Kraft, 1 loncha, 20 g	72	4	G
Loops con miel, Kellogg's, 30 g con leche desnatada	167	2,8	H
Loops de manzana y canela, Kellogg's, 30 g	111	0,8	H
Loquat	48	0,1	V
Loquat, 1 pieza, 25 g	12	*	V
Lota (pescado)	87	0,7	P
Lota fresca, 200 g	120	1	P
Lubina	89	1	P
Lucio fresco, 200 g	98	1	P
Lucio	86	0,9	P
Lucioperca fresca, 200 g	92	0,8	P
Lucioperca	83	0,7	P

M

	kcal	Grasa g	VN
M&M's Cacahuete, 1 paquete	231	12,4	G
M&M's Choco	214	9,4	GH
M&M's Chocolate con leche y cacahuetes	514	28	GH
M&M's Minis, 1 paquete	172	8,2	G
Macarrones crudos (= 350 g hervidos)	370	3	H
Macarrones hervidos (= 30 g crudos)	111	0,9	H
Macarrones, GL	153	7,4	GH
Maccheroncini, Buitoni	352	1,9	H
Macedonia de frutas	350	8	GH
Madeira, 5 cl	59	0	
Magdalenas	115	5,7	

	kcal	Grasa g	VN
Maíz (en lata), Bonduelle	72	1,3	
Maíz crujiente Bio, Bonduelle	117	1,5	B
Maíz dorado, Bonduelle	72	1,3	HV
Maíz dulce	86	1,2	
Maíz integral	331	3,8	P
Maíz, GL	101	1,2	
Maizena	348	0	H
Maizena, 1 CS	54	0	H
Maizena, 1 CT	18	0	H
Majala, alimento refrescante, 1 ración	180	6	GH
Majala, Crema, 1 ración, pr	130	5	GH
Málaga, 5 cl	80	0	
Malta prensada	420	0	H
Maltesers	180	8,6	G
Mandarina, 1 pieza, 40 g	18	0,1	V
Mandarinas en lata	100	0,6	
Mandarinas frescas, 500 g	195	1,2	V
Mandarinas	46	0,3	V
Mango Chutney	310	27	G
Mango	59	0,5	V
Mango, 1 pieza, 250 g	122	1	V
Manhattan, 6 cl	145	0	
Manteca (cerdo, oca)	947	99	G
Manteca (cerdo, oca), 1 CS	189	20	G
Manteca de cerdo, 1 CS	189	20	G
Manteca vegetal, 10 g	83	8	G
Mantequilla	748	83	G
Mantequilla, 1 CS	75	8	G
Mantequilla, 1 CT	39	4	G
Mantequilla, semidesnatada, 1 CS	37	4	G
Mantequilla, semidesnatada	91	10	G
Mantequilla con hierbas, 20 g	150	16	G
Mantequilla de cacahuete	630	50	PG

VN = Valor nutricional
G = muy rico en grasas – consumir con precaución
M = muy rico en minerales – consumo preferente
B = rico en fibra – consumir cuando sea necesario

P = muy rico en proteínas – consumo preferente
H = rico en carbohidratos – consumir con moderación
V = muy rico en vitaminas – consumo preferente

ALIMENTOS Y BEBIDAS DE LA «A» A LA «Z»

M

	kcal	Grasa g	VN
Mantequilla fundida	748	83	H
Mantequilla semidesnatada, 1 CT envase para hoteles, 25 g	20	2	G
Mantequilla semidesnatada	364	39	G
Manzana, 1 pieza, 150 g	76	0,8	V
Manzana, deshidratada	279	3	BH
Manzana deshidratada, 1 aro, 10 g	28	0,3	BH
Maoam, barritas blandas	392	6,3	H
Maoam, barritas de frutas	416	6,8	H
Maple Syrup, 1 CS	50	0	H
Margarina	753	80	G
Margarina, 1 CS	113	16	G
Margarina, 1 CT	38	8	G
Margarina, semidesgrasada	373	30	G
Margarina de girasol, SB	720	80	G
Margarina dietética 1 CS	108	11	G
Margarina dietética	720	80	G
Margarina light	720	80	G
Margarina light, 1 CS	72	8	G
Margarina light con la mitad de grasa	369	41	G
Margarina light con la mitad de grasa, 1 CS	37	4	G
Margarina light para cocinar	720	80	G
Margarina semidesgrasada, 1 CT	19	3	G
Margarina semidesnatada	376	39	G
Margarina semidesnatada, 1 CS	50	6	G
Margarina vegetal Gourmet	720	80	GH
Mars, 1 barrita	275	11	GH
Mars, almendra, 1 barrita	246	13,7	GH

	kcal	Grasa g	VN
Mars, miniatura, 1 barrita	36	1,4	G
Marsala, 5 cl	56	0	
Marshmallows, 1 pieza	24	0	H
Masa blanda, fresca, Nestlé, 1 envase	950	48	GH
Masa blanda, preparada	480	27	GH
Masa de carrañón, cruda	349	2	H
Masa de levadura, HM	335	1	H
Masa de mazapán cruda	449	29	GH
Masa de pizza a la americana, HM	328	1,1	H
Masa fresca de hojaldre, Nestlé, 1 envase	950	62	GH
Masa fresca para pizza, Nestlé, 1 envase	925	48	GH
Masa para pastel de frutas, HM	355	0,6	H
Masa para pizza, 1 bolsa	1.030	40	GH
Masa para pizza	285	4	H
Masa para repostería con canela, 1 ración	1.600	44	GH
Masa preparada para vainilla, 1 ración, Nestlé	1.824	98	GH
Mascarpone	444	45,1	G
Mastuerzo	33	0,7	MV
Mastuerzo, 1 envase, 25 g	8	0,2	MV
Mayonesa para ensalada, 1 CS	123	13	G
Mayonesa, 1 CS	86	9,3	G
Mayonesa, 50 %	490	52	G
Mayonesa, 50 %, 1 CS	98	10,4	G
Mayonesa, 80 %	727	78,9	G
Mayonesa, 80 %, 1 CS	145	15,8	G
Mazapán	449	29	GH
Mazapán 1 pieza, 10 g	45	3	GH
Mazorcas de maíz pequeñas	31	0,3	
Mazorcas de maíz, Bonduelle	116	1,5	

VN = Valor nutricional
G = muy rico en grasas – consumir con precaución
M = muy rico en minerales – consumo preferente
B = rico en fibra – consumir cuando sea necesario

P = muy rico en proteínas – consumo preferente
H = rico en carbohidratos – consumir con moderación
V = muy rico en vitaminas – consumo preferente

	kcal	Grasa g	VN
Medallones de pechuga de pollo	135	5	P
Mejilla de cerdo	319	25	G
Mejillones	72	1	P
Mejillones frescos, 1.000 g	130	1,8	P
Melocotón	43	0,1	MV
Melocotón, 1 pieza, 125 g	53	0,1	MV
Melocotón en lata	69	0,1	
Melocotones frescos, 500 g	212	0,5	MV
Melocotón seco	244	0,6	BH
Melón	54	0,1	MV
Melón Cantaloup	25	0	V
Melón dulce	54	0,1	V
Melón reticulado	25	0	V
Membrillo	38	0,5	MV
Membrillo, 1 pieza, 159 g	48	0,6	MV
Membrillos frescos, 500 g	160	2,1	MV
Menudillos	140	8	GH
Merci, 1 barrita	69	4	GH
Merengue con nata, 8 g	29	0	
Merlán en salsa de mostaza, GL, Eismann	83	3	P
Merlán	83	0,3	P
Merlán, seco	361	1,4	P
Merlán fresco, 200 g	112	0,4	P
Mermelada con fructosa, baja en calorías, 1 CT	14	0	H
Mermelada de arándanos rojos	195	*	H
Mermelada de arándanos rojos, 1 CT	20	*	H
Mermelada de cerezas amargas con fructosa, 1 CT	17	0	H
Mermelada de cerezas amargas, 1 CT	27	0	H
Mermelada de cerezas, 1 CT	27	*	H
Mermelada de ciruelas para diabéticos, 1 CT	16	*	H

	kcal	Grasa g	VN
Mermelada de damascos, 1 CT	26	*	H
Mermelada de escaramujos, 1 CT, pr	16	*	H
Mermelada de escaramujos, 1 CT	25	0	H
Mermelada de escaramujos, Fructusan, 1 CT	25	0	H
Mermelada de frambuesa, 1 CS	27	*	H
Mermelada de fresa con fructosa, baja en calorías, 1 CT	17	*	H
Mermelada de fresa, 1 CT	17	*	H
Mermelada de frutas tropicales	130	0	H
Mermelada de grosellas negras, 1 CT	17	*	H
Mermelada de grosellas, 1 CT	25	*	H
Mermelada de guindas, 1 CT	27	0	H
Mermelada de guindas, baja en calorías, 1 CT	14	0	H
Mermelada de limón a la escocesa	265	0	
Mermelada de moras con fructosa, baja en calorías, 1 CT	16	0	H
Mermelada de moras, 1 CT	26	0	H
Mermelada de naranja	27	*	H
Mermelada de naranja, 1 CT	27	*	H
Mermelada de saúco y cerezas, 1 CS	18	*	H
Mermelada extra para el desayuno, distintas variedades 1 CT	25	*	H
Mermelada extra, de moras	210	0,5	H

VN = Valor nutricional

G = muy rico en grasas – consumir con precaución

M = muy rico en minerales – consumo preferente

B = rico en fibra – consumir cuando sea necesario

P = muy rico en proteínas – consumo preferente

H = rico en carbohidratos – consumir con moderación

V = muy rico en vitaminas – consumo preferente

M

	kcal	Grasa g	VN
Mermelada, 1 CT, pr	26	*	H
Mermeladas con fructosa de distintas variedades, 1 CT	17	*	H
Mermeladas de frutas, 1 CT, pr	20	*	H
Mermeladas light	180	0,5	H
Mermeladas light, 1 CT, pr	20	*	H
Mermeladas para diabéticos, 1 CT, pr	17	*	H
Mero fresco, 200 g	109	4	PG
Messino, 1 pieza	55	2,2	GH
Mettwurst, pr	395	37	G
Mezcla de especias, 1 CT	3	*	
Mezcla mexicana	276	2	PH
Mezcla para bollería light	515	28	GH
Mezcla para Wok, GL	39	0,6	H
Mezcla soluble para bollería	538	32	GH
Mezcla vienesa, Nestlé	72	2	H
Mezzo Mix	86	0	H
Miel, 1 CS	83	0	H
Miel, 1 CT	33	0	H
Miel, 20 g	66	0	H
Miel de abejas	325	0	H
Miel de abejas, 1 CT	33	0	H
Miel de bosque	325	0	H
Miel de bosque, 1 CT	33	0	H
Miel turca	385	17	GH
Miel turca con nueces	445	20	GH
Migas	280	3	H
Migas, 1 CS	56	0,6	H
Mijo, 20 g	70	0,8	BP
Mikado, DeBeukelaer, 5 palitos	49	1,7	GH
Milka bebible	381	9	H
Milka Leo, 4 barritas	531	31	GH
Milka Stars, con pasas	463	21	GH
Milka Tender	194	11	GH
Milkinis, Milka, pr	562	34	GH

	kcal	Grasa g	VN
Milky Way para untar el pan, 20 g	139	8,6	GH
Milky Way Sandwich	114	7,5	GH
Milky Way, 1 barrita	113	4,3	GH
Milky Way, rollitos crujientes	132	7,4	GH
Mini chocolatinas, 1 pieza	35	2	GH
Mini-pizzas, 25 g	140	11	G
Mirabo	410	38	G
Miracel Whip, Kraft	415	41	G
Miracel Whip, Kraft, 1 CT	41	4	G
Miracel Whip, Kraft, 1 CS	83	8	G
Miracoli, espaguetis a la carbonara, Kraft, 1 ración (+ mantequilla y leche)	477	17	GH
Miracoli, ravioli a la napolitana, Kraft, 1 ración (+ mantequilla)	363	13	GH
Miracoli, tartalini, Kraft, 1 ración (+ mantequilla)	458	20	GH
Moluscos	77	0,6	P
Moluscos ahumados	93	0,7	P
Moluscos en lata	72	1	P
Moluscos en potaje con hierbas, GL	98	1	P
Moluscos frescos, 200 g	130	1,8	P
Molleja de gallina	95	1	
Mollejas de ternera	108	3	P
Mon Chèrie, Ferrero	53	2	GH
Mondamin	348	0	H
Mondamin, 1 CT	18	0	H
Mondamin, para preparar salsas, claro	353	3	H
Mondamin, para preparar salsas, oscuro	358	0,8	H
Moras	48	1	BV

VN = Valor nutricional
G = muy rico en grasas – consumir con precaución
M = muy rico en minerales – consumo preferente
B = rico en fibra – consumir cuando sea necesario

P = muy rico en proteínas – consumo preferente
H = rico en carbohidratos – consumir con moderación
V = muy rico en vitaminas – consumo preferente

M

	kcal	Grasa g	VN
Moras de árbol	38	0	V
Moras en lata	88	2	
Morcilla	425	36	G
Morcilla de hígado campesina, 30 g	75	6	G
Morcilla de hígado de ave, fina	248	20	G
Morcilla de hígado de ternera	339	32	G
Morcilla de hígado Palatinado	257	21	G
Morcilla de hígado, 30 g	130	12	G
Morcilla de hígado, gruesa	326	25	G
Morcilla negra de Turingia	425	36	G
Mortadela, pr	367	33	G
Mortadela de ave con pistachos	195	15	G
Mortadela de pavo	236	20	PG
Moscatel, 5 cl	80	0	
Moscatel, 5 cl, pr	80	0	
Mostaza casera	194	2,7	H
Mostaza de Munich	123	2,8	H
Mostaza Dijon	123	8,4	
Mostaza dulce, 1 CT	9	0,3	
Mostaza extra	152	12,6	G
Mostaza para butifarra blanca, 1 CT	10	0,3	
Mostaza para carne a la parrilla, 1 CS	32	0,9	
Mostaza picante, 1 CT	11	0,8	G
Mostaza semifuerte	113	7,6	G
Mosto dulce de cerezas amargas, 0,2 l	120	0	V
Mosto dulce de grosellas, 0,2 l	120	0	
Mosto dulce, 0,2 l, pr	160	0	V
Mousse al caramelo, Nestlé, 1 tarrina	103	5	G
Mousse de avellanas, 20 g	105	18	GH

	kcal	Grasa g	VN
Mousse de ciruelas 1 CT	18	*	H
Mousse de chocolate	100	3,7	GH
Mousse de foiegras, 1 CS	80	3	G
Mousse de vino	182	7,1	GH
Mousses, distintas variedades preparadas con leche, 1 ración, pr	149	5,3	GH
Muffin, 1 pieza	160	6	GH
Múgil, 150 g	90	4	G
Müsli con 10 frutas y 10 vitaminas	330	4	BH
Müsli con chocolate Vitalis	409	12,7	H
Müsli con frutas	340	3	BH
Müsli con frutas, PP, seco, 40 g, pr	195	3	BH
Müsli con grosellas y semillas de calabaza	357	6,9	BH
Müsli con leche, 50 g	230	4	BH
Müsli con mezcla de cereales	330	4	BH
Müsli con nueces y coco	363	12	BH
Müsli de cereales integrales con frutas	349	7	BH
Müsli de cereales integrales	410	8	BH
Müsli de chocolate, 40 g	159	4,6	H
Müsli tostado, Kellogg's, 30 g, pr	138	7	GH
Müsli, copos ligeros	345	6	BH
Müsli, distintas variedades, Kellogg's, 30 g	110	0	BH
Müsli, PP, seco, 40 g, pr	160	2	BH
Muslos de pollo	110	3,1	P

VN = Valor nutricional

G = muy rico en grasas – consumir con precaución

M = muy rico en minerales – consumo preferente

B = rico en fibra – consumir cuando sea necesario

P = muy rico en proteínas – consumo preferente

H = rico en carbohidratos – consumir con moderación

V = muy rico en vitaminas – consumo preferente

N

	kcal	Grasa g	VN
Nabo	40	0,2	MV
Nabo natural, 1.000 g	381	0	MV
Naranja	42	0,2	V
Naranja, 1 pieza, 150 g	63	0,4	V
Naranjada light, 0,2 l	6	0	
Naranjas frescas, 500 g	195	0,9	V
Nasi Goreng, GL	108	1,9	PH
Nata agria, 10 %, 1 CS	20	2	G
Nata agria, extra, 18 %, 1 CS	30	3	G
Nata batida	293	30	G
Nata batida, 1 CS	45	4	G
Nata batida, 1 ración	160	15	G
Nata batida, con azúcar, 1 CT	28	2,5	G
Nata de rábano rusticano, 1 CS	60	5	G
Nata en polvo, 10 g	60	4	G
Nata entera, 35 %, 0,1 l	330	35	G
Nata entera, 35 %, 1 CS	33	4	G
Nata líquida	107	9,6	G
Nata para repostería, 150 g	397	0	H
Nata, 10 %, 0,1 l	126	10	G
Nata, 10 %, 1 CS	13	1	G
Nata, 10 %, batida, 1 CS	16	1,5	G
Nata, lista para su empleo, Natreen, 1 CS	19	*	
Nata, 30 %, 0,1 l	317	30	G
Nata, 30 %, 1 CS	32	3	G
Nata, 30 %, 1 CT	16	1,5	G
Natilla Dany de chocolate con cobertura, Danone, 150 g	183	7	H
Natilla Dany light con vainilla, Danone, 125 g	84	3,6	H
Natilla Dany, distintas variedades, Danone, 125 g, pr	155	7,5	H

	kcal	Grasa g	VN
Natilla, postre preparado, Natreen	67	5	GH
Natillas de chocolate, postre preparado, Natreen, 125 g	83	5	GH
Natrón	0	0	
Néctar de albaricoque y naranja, light	19	0	
Néctar de albaricoque, 0,1 l	60	0,1	
Néctar de cerezas	64	0	V
Nectar de frutas vitaminado, Wertkost 0,1 l	33	0	V
Néctar de manzana y uva, light	23	0	M
Néctar de maracuyá, 0,1 l	55	0	
Néctar de moras, 0,1 l	50	0	
Néctar dietético de frutos rojos	21	0	V
Néctar light con vitaminas	22	0	V
Néctares de frutas, 0,2 l, pr	130	0	H
Nectarina, 1 pieza, 125 g	53	0,1	V
Nectarinas naturales, 500 g	212	0,5	V
Nectarinas	43	0,1	V
Nescafé sin leche y azúcar, Nestlé		2	0
Nescafé Solo, Nestlé, 1 taza	4	2	H
Nesquik bajo en azúcar, 0,15 l	153	6	GH
Nesquik listo para beber, 0,33 l, Nestlé	268	6	H
Nesquik, con leche, 0,15 l	155	6	GH
Nesquik, bajo en azúcar, 0,15 l	153	6	GH
Nestea, limón, 1 lata	130		
Nikolaschka (4 cl de aguardiente y una cucharadita de azúcar)	100	0	

VN = Valor nutricional
G = muy rico en grasas – consumir con precaución
M = muy rico en minerales – consumo preferente
B = rico en fibra – consumir cuando sea necesario

P = muy rico en proteínas – consumo preferente
H = rico en carbohidratos – consumir con moderación
V = muy rico en vitaminas – consumo preferente

N

	kcal	Grasa g	VN
Nimm 2, 1 pieza	24	0	H
Níscalos	17	0,4	MV
Níscalos frescos, 500 g	70	1,6	MV
Níscalos secos, 10 g	12	0,3	
Níspero	48	0,1	M
Níspero, 1 pieza, 25 g	12	*	V
Níspero (loquat)	48	0,1	V
Nougat	500	24	GH
Nougat de nueces	503	27	GH
Nueces	705	72	GV
Nueces	650	60	GV
Nueces Cashew	614	0	G
Nueces del Paraguay	714	60	BV
Nueces del Paraguay, 3 unidades, peladas	130	11	BV
Nueces Peka	700	72	GV
Nueces Peka, 6 unidades, peladas	100	10	GV
Nueces reticuladas	647	61	GV
Nueces, 5 unidades, peladas	130	12	GV
Nueces, caramelizadas	456	45	GH
Nuez de macadamia, 10 g	70	7	G
Nuez del Brasil	688	72	GV
Nuez del Brasil, 4 peladas	97	10	GV
Nuggets de ave	191	7,6	PH
Nussini, Milka, 1 barrita	210	14	GH
Nutella, Ferrero	514	30	GH
Nutella, Ferrero, 1 ración, 25 g	129	7,5	GH
Nutri Grain, pr, Kellogg's, 30 g	110	3	GH
Nuts, 1 barrita	276	11	GH
Nuts, mini, 1 pieza	88	4	GH
Nuts, Kingsize, 1 barrita	348	17	GH

O

	kcal	Grasa g	VN
Oca	395	37	G
Okra	19	2	V
Old Fashioned, 4 cl	140	0	
Opekta 2000, botella, 225 ml	68	0	
Opekta, dos por uno, 1 bolsa	43	0	
Oporto, 5 cl	70	0	
Ositos de goma, Haribo	340	0	H
Ositos de mazapán	432	15	GH
Ostras, 6 piezas	71	1,2	P
Ouzo, 43 %, 2 cl	68	0	
Ovomaltina con leche descremada, 0,25 cl	142	5	GH
Ovomaltina con leche entera, 0,25 cl	206	7	GH
Ovomaltina	380	28	GH
Ovomaltina, 1 CT	19	1,4	GH
Oxicocos (bayas)	35	0,7	V
Oxicocos frescos, 500 g	165	3,3	V

P

	kcal	Grasa g	VN
Pacanas (nuez americana), 6 piezas sin cáscara	100	9	GV
Paella, GL	138	4,9	GH
Palitos de almendra light, 1 pieza	32	2,1	GH
Palitos de comino, 1 pieza	140	1	H
Palitos de jengibre	400	0	H
Palitos de pepino	14	0	
Palitos de pescado rebozados, GL, Iglo	218	14	G
Palitos de pescado, GL, Iglo	182	7	G
Palitos salados, 10 piezas	25	0,8	H
Palmin	900	100	G
Palmitos (lata)	40	0	

VN = Valor nutricional

G = muy rico en grasas – consumir con precaución

M = muy rico en minerales – consumo preferente

B = rico en fibra – consumir cuando sea necesario

P = muy rico en proteínas – consumo preferente

H = rico en carbohidratos – consumir con moderación

V = muy rico en vitaminas – consumo preferente

P

	kcal	Grasa g	VN
Paloma	220	12	PG
Palomitas de maíz	150	1	H
Palomitas de maíz, 1 CS	8	*	H
Palos salados, 5 piezas	20	0,6	H
Pan alemán integral	185	2	B
Pan blanco	250	3,3	H
Pan blanco, 1 rebanada, 30 g	75	1	H
Pan blanco, Bimbo	234	6	H
Pan con cuatro cereales	229	1	BV
Pan con semillas de lino	275	3	B
Pan con semillas de lino, una rebanada, 40 g	110	1,2	B
Pan crujiente, 1 rebanada	27	0	B
Pan crujiente de sésamo, 1 rebanada	38	0,1	B
Pan crujiente integral, 1 rebanada	338	4,2	BH
Pan de centeno integral	193	1,2	B
Pan de centeno integral, 1 rebanada, 40 g	77	0,5	B
Pan de centeno	256	1	B
Pan de centeno, 1 rebanada, 40 g	100	0,4	B
Pan de germen de trigo	213	1	B
Pan de germen de trigo, 1 rebanada, 40 g	85	0,4	B
Pan de girasol, rebanada, 40 g	103	1	B
Pan de maíz	391	3	B
Pan de mantequilla, 1 rebanada	30	*	B
Pan de nueces	430	24	BG
Pan de pasas, 1 rebanada, 40 g	135	0,4	H
Pan de payés	220	1	B
Pan de payés, 1 rebanada, 40 g	88	0,4	B
Pan de salvado	210	1	B

	kcal	Grasa g	VN
Pan de semillas de calabaza, GL	228	7,2	H
Pan de soja, 1 rebanada, 40 g	98	0,4	B
Pan de trigo entero	204	1	B
Pan de trigo entero, 1 rebanada, 40 g	82	0,4	B
Pan gris	226	1,1	B
Pan gris, 1 rebanada, 40 g	90	0,4	B
Pan integral	241	1	B
Pan integral, 1 rebanada, 40 g	96	0,4	B
Pan mixto de centeno, 1 rebanada, 40 g	102	0,4	B
Pan mixto	226	1,1	BH
Pan mixto, 1 rebanada, 40 g	104	0,4	BH
Pan mixto de trigo, 1 rebanada, 40 g	104	0,4	B
Pan negro, 40 g	95	1	B
Pan normal, 1 rebanada, 40 g	85	0,4	B
Pan ruso	388	*	H
Pan tostado	250	3,3	H
Pan tostado, 1 rebanada, 20 g	75	1	H
Pan tostado, bajo en sodio, 1 pieza	12	0,2	H
Pan tostado, Wasa, 1 rebanada	25	0	BH
Pan tostado, 1 rebanada, 10 g	10	1	H
Pan tostado Wasa Crisp	31	0,1	H
Panceta, 1 CS	189	20	G
Panecillo de harina integral, 1 pieza, pr	64	1	B
Panecillo de masa de hojaldre, 1 pieza, 30 g	119	2	H
Panecillo de pan blanco, 1 pieza, 30 g	83	1	H

VN = Valor nutricional

G = muy rico en grasas – consumir con precaución

M = muy rico en minerales – consumo preferente

B = rico en fibra – consumir cuando sea necesario

P = muy rico en proteínas – consumo preferente

H = rico en carbohidratos – consumir con moderación

V = muy rico en vitaminas – consumo preferente

P

	kcal	Grasa g	VN
Panecillo, 1 pieza, 30 g	83	1	H
Panecillos baguette, GL, Eismann, 1 pieza, 60 g	151	0,6	H
Panecillos de centeno, 1 pieza	110	1	H
Panecillos de harina de trigo, horneados, 1 pieza	150	1,2	H
Panecillos de varios cereales, horneados, 1 pieza	152	2,8	H
Panettone, 1 pieza, pr	480	23	GH
Pani Picanti, pr	470	24	G
Papaya	44	0,1	V
Papaya, 1 pieza, 400 g	135	0,3	V
Papilla de carne, 1/4 l	10	0,5	G
Papilla de centeno, 5 g	9	0,2	B
Papilla de patata, 200 g	154	3	H
Papilla de sémola, 1 ración con leche	310	11	GH
Papilla de sémola, distintas variedades, pr	138	7,3	H
Parrillada de pescado a la francesa, GL	62	0,5	PH
Parrillada de pescado Alaska, GL, Eismann	78	2	PH
Pasas al ron	253	0,8	H
Pasas de Corinto	260	0	H
Pasas de Corinto, 1 CS	26	0	H
Pasas sultanas	276	0,5	BH
Pasas sultanas, 1 CS	28	*	BH
Pasas	276	0,5	BH
Pasas, pequeñas, 12 piezas, 5 g	41	0,1	BH
Passato, Oro di Parma	28	0,1	
Pasta al huevo, Gallo	350	2	H
Pasta con leche	110	2,6	H
Pasta con leche, sabor vainilla, 1 ración	246	6,3	H
Pasta de anchoas, 1 CT	20	0,1	
Pasta de arroz, 80 g	295	2	B

	kcal	Grasa g	VN
Pasta de atún, 10 g	48	5	G
Pasta de hígado, 30 g	95	8	G
Pasta de jamón y queso, GL, Iglo, 1 pieza	94	3,4	G
Pasta de pimiento con vegetales, 25 g	60	4	G
Pasta de sardina, 1 CT	21	2	G
Pasta de trigo duro al huevo	355	3	H
Pasta de trigo duro	350	1,5	H
Pasta Gnocci con tomate, GL Iglo	135	4	H
Pasta integral sin huevo	333	2,5	H
Pasta para masa de hojaldre, PP, 1 pieza	215	21	GH
Pasta Snacks, fideos con salsa de setas, Maggi, 1 ración	256	4,3	H
Pasta Snacks, fideos con salsa de queso, Maggi, 1 ración	298	8	H
Pasta Snacks, fideos con salsa de crema de tomate, Maggi, 1 ración	311	7	H
Pasta Snacks, fideos con salsa de brócoli, Maggi, 1 ración	312	10	GH
Pasta verde, cocida (= 30 g cruda)	111	0,9	H
Pasta verde, cruda (= 350 g cocida)	370	3	H
Pasta, cruda (= 350 g hervida)	370	3	H
Pasta, hervida (= 30 g cruda)	117	0,9	H
Pastas al huevo, pr	360	2	H
Pastas con almendra rallada, 1 pieza	60	5	GH
Pastas con champiñones, GL, Iglo	164	4,6	G
Pastas de anís, 1 pieza, pr	20	0,4	H

VN = Valor nutricional
G = muy rico en grasas – consumir con precaución
M = muy rico en minerales – consumo preferente
B = rico en fibra – consumir cuando sea necesario

P = muy rico en proteínas – consumo preferente
H = rico en carbohidratos – consumir con moderación
V = muy rico en vitaminas – consumo preferente

P

	kcal	Grasa g	VN
Pastas de carne, pr	380	25	G
Pastas de carraón	492	28	GH
Pastas de copos de coco, 1 pieza	70	3	GH
Pastas de fruta y levadura	421	11	GH
Pastas de maíz	492	24	GH
Pastas de mazapán, distintas variedades, pr	446	21,6	GH
Pastas de tomate y mozzarella, GL, Iglo	208	8	GH
Pastas saladas de carne, GL, 1 pieza	44	3	G
Pastas saladas, 1 paquete	405	12	GH
Pastas vegetales con hierbas, 25 g	60	4	G
Pastas variadas, GL, Eismann	266	12	H
Pastel de avellanas, HM, 1 pieza	198	9	GH
Pastel de cebolla (masa con levadura), 1 pieza	210	10	GH
Pastel de cerezas, HM	383	5,4	H
Pastel de ciruelas de Bohemia, 1 pieza	222	8,5	GH
Pastel de chocolate con almendras, HM, 1 pieza, pr	168	11	GH
Pastel de hígado, pr	380	5	H
Pastel de jamón de pavo	240	20	G
Pastel de manzana al horno, 1 pieza	330	19	GH
Pastel de manzana de Bohemia, 1 pieza	213	7,4	GH
Pastel de manzana light, 1 pieza	116	5,4	GH
Pastel de manzana	230	6	H
Pastel de nueces, 1 pieza, pr	251	11	GH

	kcal	Grasa g	VN
Pastel de queso para diabéticos, GL, Eismann	238	10	GH
Pastel de queso, HM, 1 pieza	248	6	GH
Pastel de queso, HM	364	0,4	H
Pastel de queso, clásico, GL, 1 pieza	289	12,7	GH
Pastel de queso, pr	250	10	GH
Pastel ruso, HM 1 ración	391	23,2	GH
Pastel Sacher 1 pieza	314	15	GH
Pastelillo de hígado, 1 pieza, aprox. 50 g	190	6	GH
Pastelillos de almendra, 1 pieza	31	1,5	GH
Pastelillos de carne, pr	230	19	PG
Pastelillos de chocolate light, 1 pieza	21	1	GH
Pastelillos de frutas	188	0	BH
Pastelillos de vainilla light, 1 pieza	53	3,2	GH
Pastelitos de nueces, 1 pieza	26	1,5	GH
Pastillas de amoniaco, 50 g	145	*	H
Pastillas de levadura pura, por 15 pastillas	20	0,1	MV
Pastillas de menta, sin azúcar, 1 pieza	6	0	
Pastillas de menta, pieza	20	0	H
Pastillas de salvado de trigo, 1 pieza	9	0,3	B
Pastillas Energie-Plus de glucosa, por pastilla	13	0	H
Pata de corzo	106	1,3	P
Pata de pavo	125	5	PG
Pata de ternera a la parrilla, GL, Eismann	165	9	PG
Pata de ternera	100	1,6	P
Patas de pollo	120	4	PG
Patatas	70	0,1	PV

VN = Valor nutricional
G = muy rico en grasas – consumir con precaución
M = muy rico en minerales – consumo preferente
B = rico en fibra – consumir cuando sea necesario

P = muy rico en proteínas – consumo preferente
H = rico en carbohidratos – consumir con moderación
V = muy rico en vitaminas – consumo preferente

P

	kcal	Grasa g	VN
Patatas asadas, 200 g	231	11	G
Patatas con piel	79	0,1	PV
Patatas chips	552	30	G
Patatas chips, 1 pieza	10	0,5	G
Patatas de mazapán, 1 pieza, 5 g	25	1,5	GH
Patatas deshidratadas	360	0,5	B
Patatas fritas Golden Longs, GL, McCain	174	6	GH
Patatas fritas Golden Smiles, GL, McCain	203	9	GH
Patatas fritas Home Fries, GL, McCain	136	4	GH
Patatas fritas, 150 g, pr	330	13	GH
Patatas fritas, listas para el horno, GL, 150 g	260	8	GH
Patatas fritas, GL	130	6	GH
Patatas fritas, GL, McCain	141	4,5	G
Patatas Pringles, con sal y vinagre, envase pequeño, 50 g	282	18	GH
Patatas Pringles, con cebolla	490	25	GH
Patatas Pringles, con sal y vinagre	564	38	GH
Patatas Pringles, con pimentón	567	38	G
Patatas Pringles, barbacoa, 1 paquete, 175 g	826	42	GH
Patatas salteadas «Country Style», GL, Iglo	145	8,4	H
Patatas y verduras salteadas, Pfanni, 1 ración	296	18	G
Paté, 24 % de grasa	255	24	G
Paté con huevo y hierbas	440	44	G
Paté con tomate de Italia	257	22	G

	kcal	Grasa g	VN
Paté con yogur	378	39	G
Paté de ave	258	22	G
Paté de caza	301	20	G
Pâté de foie de canard, 1 CS	65	3	G
Pâté de foie d'oie, 1 CS	65	3	G
Paté de hígado de ave	294	12	G
Paté de hígado de oca	320	12	G
Paté de hígado de pato	313	30	G
Paté de hígado de pavo	240	20	PG
Paté de hígado de ternera	323	28	G
Paté de pavo con Calvados	199	15	G
Paté vegetal para untar el pan, 25 g, pr	60	5	G
Paté vegetal para untar el pan, 25 g, pr	60	5	G
Pato	243	18	PG
Pato asado, GL	285	25	PG
Pato chino, GL	162	11,2	PG
Pato salvaje	135	4	PG
Pausa Lila, Milka, 1 barrita, pr	177	12	GH
Pavo sazonado, pr	78	2	P
Pavo	163	8	PG
Pecorino, queso de oveja, 36 % de grasa	368	30	G
Pectina-H, Dr. Ritters, 2 CS	9	0	
Pecho de vaca	211	15	G
Pechuga de oca, ahumada	190	10	G
Pechuga de pavo ahumada	123	3	P
Pechuga de pavo al ast	108	2	H
Pechuga de pavo Virginia	100	1	H
Pechuga de pavo	115	1	P
Pechuga de pollo con piel, fresca, 100 g	145	1,5	P
Penne a la arrabbiata	172	3,3	H

VN = Valor nutricional

G = muy rico en grasas – consumir con precaución

M = muy rico en minerales – consumo preferente

B = rico en fibra – consumir cuando sea necesario

P = muy rico en proteínas – consumo preferente

H = rico en carbohidratos – consumir con moderación

V = muy rico en vitaminas – consumo preferente

P	kcal	Grasa g	VN
Penne al Gorgonzola, GL, Iglo	134	4,1	H
Penne con albahaca	347	0,3	H
Penne con tomate y mozzarella, GL, Eismann	149	5	H
Penne rigate, Buitoni (crudo)	362	2	H
Peperoncini	25	*	
Peperoni	28	0,3	
Pepinillos a la polaca	34	0,2	H
Pepinillos con mostaza	24	0	
Pepinillos con sal de eneldo, 1 pieza, 50 g	5	*	
Pepinillos condimentados	11	0,2	H
Pepinillos de Praga	25	1	
Pepinillos dulces	112	0,6	
Pepinillos en vinagre	36	0,2	
Pepinillos para condimento	26	0,1	
Pepinillos para sandwiches	44	0,2	H
Pepinillos salados	17	0,2	
Pepino dulce	31	0,2	
Pepino natural, 500 g	47	0,7	V
Pepino	13	0,2	V
Pera	55	0,3	BV
Pera en lata	72	0,1	H
Pera seca	213	1,2	BH
Pera, 1 pieza, 150 g	80	0,5	BV
Perca	85	1	P
Perca de río	85	1	P
Perca fresca, 200 g	160	2	P
Perca roja	104	1	P
Perdiz	144	7	PG
Perdiz nival	144	7	PG
Perejil, picado, 1 CS	5	0	MV
Perejil, GL, Iglo, 25 g	8	0	MV
Perifollo, 1 CS	1	*	V
Pernod, 40 %, 2 cl	68	0	
Persimone	69	0,3	MV

	kcal	Grasa g	VN
Pescado estofado, GL, Iglo	134	2	PG
Pesto a la genovesa, Buitoni	546	54	G
Pesto para pizza	299	13	GH
Pez de San Pedro	88	2	P
Pez espada	127	5	PG
Pez gato	175	12	G
Pez gato, ahumado	135	4	PG
Pez gato fresco, 200 g	209	14	G
Pez lobo	203	0,7	P
Pezuñas de cerdo	103	1,5	
Picadillo de carne con cebolla, al horno, 1 ración	329	13	GH
Picadillo de carne de ave	110	6	G
Picadillo de carne de cerdo, 1 ración	306	10	G
Picadillo de carne de cerdo, GL	95	3	G
Picadillo de carne, 1 ración	358	14	PH
Picadillo de carne, GL, Iglo, 280 g	633	40	G
Picadillo de pavo, 1 ración	419	15	G
Picatostes para la ensalada, diversos tipos, Knorr, 1 bolsa, pr	136	9	G
Piel de manzana rallada, 1 CT	2	0	
Pies de cerdo, delanteros	171	10	PG
Pies de cerdo, traseros	191	13	PG
Pimentón 1 CT	19	1	G
Pimienta verde	26	0,8	
Pimienta	0	0	
Pimiento	20	0,3	V
Pimiento, 1 pieza, 150 g	28	0,4	V
Pimientos con tomate	20	0,3	
Pimientos con tomate, en conserva	27	0,2	

VN = Valor nutricional
G = muy rico en grasas – consumir con precaución
M = muy rico en minerales – consumo preferente
B = rico en fibra – consumir cuando sea necesario

P = muy rico en proteínas – consumo preferente
H = rico en carbohidratos – consumir con moderación
V = muy rico en vitaminas – consumo preferente

P

	kcal	Grasa g	VN
Pimientos frescos, 1.000 g	187	2,7	V
Pims Cake, DeBeukelaer, pr	413	12	GH
Piña	56	0,2	V
Piña (en lata), 1 rodaja	35	0,1	H
Piña en almíbar	320	1	H
Piña natural, 500 g	151	0,5	V
Piñones	618	52	G
Piñones, 1 CS, 20 g	124	10	G
Pipas de girasol	524	66	G
Pipas de girasol, 40 g	112	14,8	GH
Pipas de girasol, 1 CS, 15 g.	80	10	G
Pistachos pelados	605	51,6	G
Pizza «Al forno» a los 4 quesos, GL, Iglo, 300 g	789	33	GH
Pizza Crosa, a la boloñesa, GL, Iglo, 290 g	742	35	GH
Pizza Crosa, Clásica, GL, Iglo, 290 g	702	38	GH
Pizza Crosa, con espinacas y champiñones, GL, Iglo, 290 g	579	27	GH
Plátano, 1 pieza, 150 g	94	1,1	HV
Plátano seco	305	3,5	BH
Plátanos frescos, 500 g	350	4	HV
Plato de brócoli con queso, GL, 1 pieza	34	1	H
Plato de coliflor con queso, GL, Eismann, 1 ración	65	3	H
Plato de coliflor, GL, Bonduelle	14	0,3	V
Plavac, a las finas hierbas, 0,25 l	176	0	
Plavac, suave, 0,25 l	187	0	
Plockwurst, pr	483	43	G
Pocket Coffee, Ferrero	404	18,2	G

	kcal	Grasa g	VN
Pocket Coffee, Ferrero, 1 pieza	51	2,3	G
Polen de flores en miel, 1 CT	17	0	H
Polenta, hervida, 1 CS	50	0,4	P
Polpa, Oro di Parma	19	0,2	
Pollo al curry, 1 ración	359	11	PH
Pollo asado	166	9	PG
Pollo con fideos, platos calientes Maggi, 1 bolsa	30	0,8	H
Pollo frito, GL	240	13,3	PG
Pollo Hawaii, GL	158	7,4	PG
Pollo para el caldo	274	20	G
Pomelo	42	0,2	V
Pomelo, 1 pieza, 250 g	80	0,4	V
Pompons, GL, McCain	186	8	G
Pomps, sémola para niños	340	0	H
Ponche de té, 0,2 l	240	0	
Pops, Kellogg's, 30 g con leche	175	2,4	H
Portulak	26	0,3	
Postre Comtessa light	405	22,3	H
Postre Comtessa, distintas variedades	442	24	GH
Postre de soja con caramelo	87	1,8	H
Postre de soja con chocolate	85	1,8	H
Postre de soja con vainilla	88	1,8	H
Postre suizo Baladin	563	34	GH
Postre suizo, mousse de chocolate	545	30	GH
Postre suizo, trufas	550	32	GH
Potaje de arenque	224	20,6	G
Potaje de arroz con verduras, 1 ración	54	2	G
Potaje de carne de ternera, Knorr, 1 plato	11	0,8	G
Potaje de fideos con albóndigas de carne, Knorr, 1 plato	161	3,5	GH

VN = Valor nutricional
G = muy rico en grasas – consumir con precaución
M = muy rico en minerales – consumo preferente
B = rico en fibra – consumir cuando sea necesario

P = muy rico en proteínas – consumo preferente
H = rico en carbohidratos – consumir con moderación
V = muy rico en vitaminas – consumo preferente

P

	kcal	Grasa g	VN		kcal	Grasa g	VN
Potaje de fideos con pollo, Maggi, 1 ración	325	21	GH	Preparado para carne enrollada, Maggi, 1 bolsa	154	6,5	GH
Potaje de fideos y carne de vaca, 1 plato	130	3,5	GH	Preparado para chile con carne, Maggi, 1 bolsa	118	2,3	H
Potaje de guisantes con tocino, Maggi, 1 ración	304	12,7	GH	Preparado para el asado, Maggi,1 bolsa	172	8,6	GH
Potaje de guisantes, GL, 1 plato	88	4,1	H	Preparado para espaguetis a la boloñesa, Knorr, 1 bolsa	175	8	G
Potaje de Gulasch Minuto	107	4	H	Preparado para espaguetis a la napolitana, Maggi, 1 bolsa	176	5	H
Potaje de lentejas con tocino, Knorr, 1 plato	213	3	GH	Preparado para gratinado a la boloñesa, Maggi, 1 bolsa	118	2,3	H
Potaje de patatas con pan, Minuto	70	2	GH	Preparado para gratinar bróculi, Maggi, 1 bolsa	182	9,9	GH
Potaje de pollo con fideos	57	2,5	G	Preparado para gulasch de salchichas, Knorr, 1 bolsa	145	4	H
Potaje de ternera con picatostes, platos calientes Maggi, 1 bolsa	36	2,2	G	Preparado para gulasch húngaro, Maggi, 1 bolsa	174	7,9	GH
Potaje de verdura	54	2	G	Preparado para gulasch, Maggi, 1 bolsa	209	12	GH
Potaje Minuto	88	4	GH	Preparado para lasaña de verdura, Maggi, 1 bolsa	174	6,9	GH
Powidl, 1 CT	23	0	H	Preparado para moussaka de calabacín, Maggi, 1 bolsa	120	3	H
Praire Oyster, 1 frasco	170	7	G	Preparado para parrillada de carne, Maggi, 1 bolsa	373	11	GH
Pralinés	500	31	GH				
Pralinés de mazapán	387	18	GH	Preparado para picadillo de pavo, Knorr, 1 bolsa	196	11	GH
Preparado de macarrones, GL, Iglo, 420 g	580	21	GH	Preparado para plato de pasta con carne picada, Maggi, 1 bolsa	114	3,7	GH
Preparado de patata, «estilo suizo», GL, Iglo, 400 g	448	22	G	Preparado para platos de queso, Maggi, 1 bolsa	154	10,1	GH
Preparado de queso fresco	57	0,2	P				
Preparado de queso fresco Allgäuer, 20 %	86	3,7	PG				
Preparado de regaliz, Haribo	354	3,4	H				
Preparado para asado de cerdo, Knorr, 1 bolsa	173	6	G				
Preparado para calabacines a la toscana, Knorr, 1 bolsa	169	5	H				

VN = Valor nutricional

G = muy rico en grasas – consumir con precaución

M = muy rico en minerales – consumo preferente

B = rico en fibra – consumir cuando sea necesario

P = muy rico en proteínas – consumo preferente

H = rico en carbohidratos – consumir con moderación

V = muy rico en vitaminas – consumo preferente

P

	kcal	Grasa g	VN
Preparado para pollo a la cebolla con crema de leche, Maggi, 1 bolsa	99	2,6	H
Preparado para salteado chino, Maggi, 1 bolsa	149	3,3	H
Preparado para salteado Gyros, Maggi, 1 bolsa	255	17	H
Preparado para salteados de comida china agridulce, Uncle Ben's	90	0	H
Preparado para lasaña, Maggi, 1 bolsa	171	5,3	GH
Preparado para «Sauerbraten», Knorr, 1 bols	181	8	G
Pro Figur de piña y manzana, 1 tarrina	212	5	H
Productos con masa de soja, en crudo	360	3,5	BH
Prosecco	84	0	
Pudln con salsa, 1 ración, pr	111	1,2	H
Pudin de almendra, 1 ración, pr	112	3,5	H
Pudin de coco con salsa de chocolate	95	1,9	H
Pudin de leche diversas variedades, pr	98	2,5	H
Pudin de sémola con salsa de cerezas, Nestlé, 1/4 tarrina	136	3	H
Pudin de sémola con salsa de chocolate	101	2,3	H
Pudin de sémola, 150 g	225	12,3	G
Pudin sencillo, con leche, 1 ración, pr	150	1	H
Puerro blanco	36	0,3	V
Puerro fresco, 500 g	81	0,9	V

	kcal	Grasa g	VN
Puerro verde	27	0,3	V
Puerros blancos	36	0,3	MV
Puerros con salsa de crema de leche, GL, Iglo	64	4	G
Puerros frescos, 500 g	81	0,9	MV
Puerros verdes	27	0,3	MV
Pularda	166	10	PG
Pulpa de membrillo, 20 g	60	0,5	H
Pumpernickel	182	1	BV
Pumpernickel, 1 rebanada redonda, 20 g	36	0,2	BV
Pumpernickel, 1 rebanada 40 g	72	0,4	BV
Puré de almendras, 20 g	50	2	G
Puré de cacahuetes, 1 CT	50	9	PG
Puré de ciruelas con fructosa, 1 CT	20	*	H
Puré de ciruelas, 1 CT	23	*	H
Puré de guisantes, 1 ración	95	1	H
Puré de manzana (frasco)	79	0,1	
Puré de patatas	230	22	G
Puré de patatas preparado con leche, 1 ración	204	6	G
Puré de patatas, preparado con agua, 1 ración	94	0,8	P
Puré de patatas, Maggi, 1 ración	130	2	H
Puré en copos, Maggi, 1/4 l, preparado	7	0,4	G
Puré, graso, en cubitos, 1/4 l, preparado, Maggi	16	1,3	G

VN = Valor nutricional

G = muy rico en grasas – consumir con precaución

M = muy rico en minerales – consumo preferente

B = rico en fibra – consumir cuando sea necesario

P = muy rico en proteínas – consumo preferente

H = rico en carbohidratos – consumir con moderación

V = muy rico en vitaminas – consumo preferente

ALIMENTOS Y BEBIDAS DE LA «A» A LA «Z»

Q

	kcal	Grasa g	VN
Queso Appenzeller, 50 % de grasa	386	32	G
Queso Appenzeller, 50 % de grasa, 20 g	77	6	G
Queso azul, 60 % de grasa	365	33	G
Queso blando Bel Paese, 60 % grasa	366	33	PG
Queso blando	416	30	G
Queso blando de cabra, Castello bianco, 45 %, pr	280	22	G
Queso Brie, 45 % de grasa	313	25	G
Queso con mohos, 50 % de grasa	370	30	G
Queso Cottage, 20 % de grasa	108	4	P
Queso curado, 30 % de grasa	299	19	G
Queso Cheddar, 50 % de grasa	410	33	G
Queso Chester a lonchas, 45 % de grasa, Kraft, 1 loncha	55	4	G
Queso Chester, 20 g	80	6	G
Queso Chester, 50 % de grasa	410	33	G
Queso Chester, 50 % de grasa, Kraft	400	30	G
Queso Danablu, 50 % de grasa	413	40	PG
Queso de cabra en porciones	390	27	G
Queso de carne de ave, Wiesenhof	236	20	PG
Queso de carne de Stuttgart, Höhenrainer	154	10	PG
Queso de carne de urogallo	154	10	PG
Queso de carne	268	23	G
Queso de hígado tipo Stuttgart, Höhenrainer	154	10	G

	kcal	Grasa g	VN
Queso de hígado, 30 g	110	8	G
Queso de hígado, pr	368	26	G
Queso de leche de búfala	254	19	PG
Queso de los monjes Trapenses, 50 % de grasa	366	30	G
Queso de Mainz, 10 % de grasa	138	3,3	P
Queso de oveja, 40 % de grasa, pr	260	21	G
Queso Edam, 30 % de grasa	265	17	G
Queso Edam, 40 % de grasa	322	24	G
Queso Edam, 40 % de grasa, 20 g	64	4,5	G
Queso Edam, 45 % de grasa	371	30	G
Queso Edam	265	17	G
Queso Edelpilz, 50 % de grasa	368	30	G
Queso Emmental en lonchas, 45 % de grasa, Kraft, por loncha, 20 g	59	5	G
Queso Emmental, 45 % de grasa	382	30	G
Queso Emmental	384	30	G
Queso en lonchas para tostadas, 25 % de grasa, Kraft, 1 loncha, 20 g	55	4	G
Queso en lonchas 25 % de grasa	201	11	G
Queso en lonchas, 45 % de grasa	278	22	G
Queso en lonchas, 30 %	300	18	PG
Queso en lonchas, 30 %	263	17	G
Queso fresco «light»	78	0,3	P
Queso fresco con hierbas 40 % de grasa	164	12	P

VN = Valor nutricional
G = muy rico en grasas – consumir con precaución
M = muy rico en minerales – consumo preferente
B = rico en fibra – consumir cuando sea necesario

P = muy rico en proteínas – consumo preferente
H = rico en carbohidratos – consumir con moderación
V = muy rico en vitaminas – consumo preferente

ALIMENTOS Y BEBIDAS DE LA «A» A LA «Z»

Q	kcal	Grasa g	VN
Queso fresco con hierbas, fitness, Philadelphia	188	16	G
Queso fresco con hierbas	301	29	G
Queso fresco con hierbas, 60 % de grasa	245	23	G
Queso fresco con nata, 40 %	167	11	G
Queso fresco con nata, Gervais	264	25	G
Queso fresco con suero de mantequilla	134	8	PG
Queso fresco con yogur natural	177	15	PG
Queso fresco de distintas variedades, Philadelphia, pr	190	16	PG
Queso fresco Doppelrahm con pimentón, 60 % de grasa, 1 CS, pr	50	5	G
Queso fresco Doppelrahm, 60 % de grasa, 1 CS, pr	50	5	G
Queso fresco para untar, Philadelphia	295	30	PG
Queso frischette, 20 % de grasa	145	5	PG
Queso fundido con champiñones, 40 % de grasa, 1 porción, 62,5 g	170	13	G
Queso fundido con hierbas, 50 % de grasa, 1 porción	85	8	PG
Queso fundido Dohram, Kraft, porción, 62,5 g	213	20	G
Queso Geheimrats, 40 % de grasa	417	28	G
Queso Goldrom, 50 % de grasa	361	30	G

	kcal	Grasa g	VN
Queso Gorgonzola	313	26,5	PG
Queso Gorgonzola, 50 % de grasa	358	31	G
Queso Gouda	265	17	PG
Queso gouda con verduras	263	16	P
Queso Gouda, 45 % de grasa	343	28	PG
Queso Gouda, 45 % de grasa, 20 g	68	5	G
Queso Gouda, 48 % de grasa	358	30	G
Queso Greyerzer, 45 % de grasa	411	32	G
Queso Greyerzer, 45 % de grasa, 20 g	82	6	G
Queso Hüttenkäse, 20 % de grasa	108	4	PG
Queso Illertaler, 45 % de grasa	384	30	G
Queso Leerdammer 28 % de grasa	280	15	G
Queso Leerdammer, 45 % de grasa	370	29	G
Queso Limburg, 20 % de grasa	183	10	PG
Queso Limburg, 40 % de grasa	267	20	G
Queso Lindberg «light», 30 % de grasa, Kraft	290	17	G
Queso Lindberg en lonchas, 45 % de grasa, Kraft, 1 loncha, 20 g	74	6	G
Queso Lindberg, 45 % de grasa, Kraft	370	29	G
Queso Liptau	215	13	G
Queso Maasdam	273	17	PG
Queso Mascarpone, 70 % de grasa	460	48	G
Queso Mozzarella	254	19	PG

VN = Valor nutricional
G = muy rico en grasas – consumir con precaución
M = muy rico en minerales – consumo preferente
B = rico en fibra – consumir cuando sea necesario

P = muy rico en proteínas – consumo preferente
H = rico en carbohidratos – consumir con moderación
V = muy rico en vitaminas – consumo preferente

Q	kcal	Grasa g	VN
Queso Münster, 45 % de grasa	283	23	G
Queso Münster, 50 % de grasa	335	26	G
Queso Pamesello, 32 % 1 CS	79	5	PG
Queso para cocinar, 10 % de grasa	133	3,3	P
Queso para cocinar, 20 % de grasa	200	10	PG
Queso para Raclette, 20 g	80	6	G
Queso para Raclette, 52 % de grasa	401	27	G
Queso para untar, 20 g	71	6	G
Queso para untar, 50 % de grasa	359	29	G
Queso parmesano	395	26	PG
Queso parmesano rallado, 1 CT	30	2	PG
Queso parmesano rallado, 1 CS	79	5	PG
Queso Pecorino, 36 % de grasa	368	30	G
Queso Provolone, 20 g	73	6	G
Queso Provolone, 50 % de grasa	366	30	G
Queso Quargel, 1 pieza, 25 g	38	0,1	P
Queso Romadur, 20 % de grasa	183	9	G
Queso Romadur, 30 % de grasa	231	14	G
Queso Romadur, 40 % de grasa	288	20	G
Queso Romadur, 50 % de grasa	326	26	G
Queso Roquefort, 50 % de grasa	366	31	G
Queso suizo Hobelkäse, 50 % de grasa	410	30	G

	kcal	Grasa g	VN
Queso tártaro	391	30	G
Queso Tilsiter, 30 %, 20 g	54	3	G
Queso Tilsiter, 45 %, 20 g	70	5	G
Queso Tilsiter	273	17	G
Queso Weisslacker	362	26	G
Queso fundido Allgäuer con 45 % de contenido graso	313	25	PG
Queso fundido con nata, 60 % de grasa, 1 porción, 62,5 g	194	19	G
Queso fundido con salami, 45 %	157	13	G
Queso fundido, 40 %, 1 porción	63	5	G
Queso fundido, 20 %, 1 porción	48	3	PG
Queso fundido, 50 %, 1 porción	86	8	G
Queso Korbkäse, 0,5 % grasa	133	*	P

R	kcal	Grasa g	VN
Rábano rusticano fresco, 200 g	78	0,4	
Rábano rusticano	63	0,3	
Rábano rusticano, rallado, 1 CT	6	*	
Rábano rusticano, natural, 200 g	78	0,4	
Rábanos	14	0,2	BV
Rábanos, 1 manojo, 80 g	11	0,1	MV
Rabo de buey	184	12	PG
R'Activ polivitamínico	20	0	V
R'Activ, bebida de naranja	40	0	V

VN = Valor nutricional
G = muy rico en grasas – consumir con precaución
M = muy rico en minerales – consumo preferente
B = rico en fibra – consumir cuando sea necesario

P = muy rico en proteínas – consumo preferente
H = rico en carbohidratos – consumir con moderación
V = muy rico en vitaminas – consumo preferente

ALIMENTOS Y BEBIDAS DE LA «A» A LA «Z»

	kcal	Grasa g	VN
Radicchio	27	0	V
Rafaello, Ferrero, 1 pieza	60	4,7	GH
Ragout con champiñones	130	7,9	G
Ragout de setas, 1 ración	230	6	
Ragout en lata, 125 g	225	13	G
Ragout vegetal, 1 ración	255	14	G
Raíces	63	0,3	MV
Raíces, 1 manojo, pr	50	0,4	MV
Raíz de perejil	40	0,5	M
Raki, 45 %, 2 cl	68	0	
Rama	720	80	G
Rambutan	75	0,3	
Rape	72	0,7	P
Rape fresco, 200 g	104	1	P
Rapunzel	14	0,2	MV
Ratatouille, Bonduelle	39	0,8	H
Ravioli a los 4 quesos, Buitoni, fresco, 1 ración, 125 g	386	16	H
Ravioli con salsa de tomate, Maggi, 1 lata	664	12	H
Ravioli de espinacas	196	4,2	H
Ravioli vegetales, Tartex, 1 ración	190	6	H
Raviolis de verdura, Maggi, 1 lata	608	9,6	GH
Raya (pescado)	85	1	P
Rebeco	127	2	GH
Rebozado con grano verde	236	5	B
Reforzante de nata, azucarado, 10 g	40	1	H
Regaliz, Haribo	320	0	H
Relleno de carne para pastas, por pieza, pr	160	10	G
Remolacha fresca, 1.000 g	344	0,8	MV
Remolacha	44	0,1	MV
Remoulade	712	77,1	G

	kcal	Grasa g	VN
Remoulade, 50 %	502	52	G
Remoulade, 50 %, 1 CS	150	13	G
Remoulade, 80 %	774	82	G
Remoulade, 80 %, 1 CS	232	21	G
Requesón con especias, 1 CS	28	*	PG
Requesón con frutas	146	6,2	GH
Requesón con frutas light	60	1,7	H
Requesón con hierbas, Gervais	115	7	PG
Requesón de verano light	116	5	PG
Requesón light	88	0,6	P
Requesón light con hierbas, Gervais	77	2,2	P
Requesón light, distintas variedades, 150 g	114	3,9	PG
Ricard, 43 %, 2 cl	68	0	
Rice Krispies, Kellogg's, 30 g, con leche	171	2,2	H
Ricolla, 30 % de grasa	183	16	G
Ricotta, queso de oveja, 30 % de grasa	183	16	G
Rigatoni a la carbonara	172	7	H
Rigatoni	345	1	H
Riñones de cerdo	125	4,9	G
Riñones de cordero	101	8	G
Riñones de ternera	124	6	G
Riñones de vaca	122	5	
Ritter Rum, Ritter Sport	533	33	GH
Ritz Cracker	494	23	GH
Roastbeef	129	4	P
Robiola, preparado de queso fresco con hierbas, 75 % de grasa, Kraft	325	33	G
Rodaballo natural, 200 g	130	4	PG
Rodaballo	90	3	PG
Rodaballo fino «Sylter», GL, Iglo	229	13	PG

VN = Valor nutricional

G = muy rico en grasas – consumir con precaución

M = muy rico en minerales – consumo preferente

B = rico en fibra – consumir cuando sea necesario

P = muy rico en proteínas – consumo preferente

H = rico en carbohidratos – consumir con moderación

V = muy rico en vitaminas – consumo preferente

R

	kcal	Grasa g	VN
Rodajas de apio	29	0,1	B
Rodajas de calabacín	32	0,2	
Rodajas de patata, GL, Eismann	136	4	H
Rolo, Tofee, 1 pieza	24	1	GH
Rollito Bi-Fi, 1 pieza	235	16,5	G
Rollitos de arenque a la plancha	183	14,1	PG
Rollo de biscuit con nata al limón	282	15	GH
Rollo de primavera de pollo, GL, 17 g	43	2	GH
Rollo de primavera de verduras, GL, 17 g	44	2	GH
Rollo de primavera, GL, 150 g, 1 pieza, pr	230	7	GH
Ron, 38 %, 2 cl	62	0	
Ron, 54 %, 2 cl	74	0	
Ron blanco, 38 %, 2 cl	50	0	
Ron con Cola (0,2 l de cola + 2 cl de ron)	162	0	H
Ron de caña, 80 %, 2 cl	134	0	
Rösti envasado, 1 ración	210	8	G
Rösti, Maggi, sin preparar, 1 envase	316	0,5	G
Rösti, GL, McCain	185	9	G
Rotessa, col roja,	46	0,1	B
Rougette	430	41	G
Rovellón	11	0,1	P
Ruibarbo	13	0,1	MV
Ruibarbo fresco, 1.000 g	100	0,8	MV

S

	kcal	Grasa g	VN
Sal	0	0	
Sal de cuerno de ciervo	0	0	
Sal de hierbas, 1 CT, 5 g	4	0	

	kcal	Grasa g	VN
Sal marina	0	0	
Salami	187	11	PH
Salami de queso, pr	350	30	G
Salami extra, 30 g	114	10	G
Salami para cocinar	203	15	G
Salchicha de carne picada, pr	377	23	G
Salchicha al Curry, 1 ración	324	24	G
Salchicha alemana	277	25	G
Salchicha amarilla	154	10	G
Salchicha amarilla, pr	350	33	G
Salchicha asada, 1 pieza	254	23	G
Salchicha asada, de cerdo	364	30	G
Salchicha asada, de ternera	287	15	G
Salchicha blanca, 1 pieza, 60 g	183	7	G
Salchicha blanca de Munich, GL	273	25	G
Salchicha Bockwurst, gigante, 1 pieza	267	24,7	G
Salchicha campesina	162	10	G
Salchicha cazadora	154	10	G
Salchicha Cracovia, pr	383	37	G
Salchicha Cracovia, de ave, pr	150	10	G
Salchicha de ajo, 30 g	138	12	G
Salchicha de ave, pr	200	13	G
Salchicha de carne magra	195	15	G
Salchicha de cebolla, cocida	370	35	G
Salchicha de hígado de pavo	203	15	G
Salchicha de hígado, Gourmet	248	20	G
Salchicha de soja, pr	313	27	PG
Salchicha Göttinger, pr	396	37	G

VN = Valor nutricional

G = muy rico en grasas – consumir con precaución

M = muy rico en minerales – consumo preferente

B = rico en fibra – consumir cuando sea necesario

P = muy rico en proteínas – consumo preferente

H = rico en carbohidratos – consumir con moderación

V = muy rico en vitaminas – consumo preferente

ALIMENTOS Y BEBIDAS DE LA «A» A LA «Z»

S

	kcal	Grasa g	VN
Salchicha Leberwurst	334	30	G
Salchicha vegetal, 1 ración	21	2	G
Salchichas de aperitivo, 1 pieza, 10 g	29	2	G
Salchichas de pavo	199	15	G
Salchichas de Frankfurt, pr	286	24	G
Salchichas en lata	195	15	PG
Salchichitas, 1 pieza	122	24,2	G
Salchichitas (lata), pr	243	28	G
Salchichitas de ave	250	20	G
Salchichitas de cerdo, dos, 70 g	255	27	G
Salchichitas de Viena, dos, 70 g	208	20	G
Salchichón ahumado	307	27	G
Salchichón ahumado, 30 g	121	12	G
Salchichón ahumado, pr	355	32	G
Salchichón ahumado, grueso con pimienta	334	30	G
Salchichón de pavo a la pimienta	276	20	PG
Salchichón de pavo	296	24	PG
Salchichón de pimiento	378	33	G
Salchichón, pr	550	35	G
Salmón con ensalada y salsa de mostaza y eneldo	194	14	G
Salmón	202	13	PG
Salmón, ahumado	289	19	G
Salmón con ensalada y salsa de cebollino y pimiento	208	16	G
Salmón de Alaska en salsa de especias, 1 ración	241	8,8	PH
Salmón de Alaska en salsa de mostaza, GL	94	4,7	P

	kcal	Grasa g	VN
Salmón en aceite	280	18	G
Salmón marino	81	0,9	
Salmón marino en aceite, escurrido	150	8	G
Salmón marino	88	0,8	P
Salmón marino, ahumado	98	0,8	P
Salmón natural, 200 g	278	18	PG
Salmón pequeño fresco, 200 g	278	18	PG
Salmón pequeño	202	13	PG
Salmonete	107	1	P
Salsa a la pimienta, Knorr, 1 bolsa	200	15	G
Salsa a la pimienta, Maggi, 1/4 l, preparada	115	5,3	G
Salsa a los 4 quesos, Buitoni fresco	302	27,2	G
Salsa al gusto, boloñesa, Knorr, 1 envase	326	16	G
Salsa al gusto, de ajo, Knorr, 1 envase	135	4	G
Salsa alioli, 1 CS	201	20	G
Salsa alioli	691	75	G
Salsa bearnesa	209	19	G
Salsa bechamel	213	21	G
Salsa carbonara,	129	9	GH
Salsa cazadora, Maggi, 1/4 l, preparada	128	7,3	G
Salsa cazadora, salsas básicas, Knorr, 1/4 l	90	2	
Salsa clara para asado, 1 CS	7	*	
Salsa clara, instantánea, 4 CS	25	1	G
Salsa clara, Knorr, 1/4 l	137	7	G
Salsa con crema de leche Knorr, 1/4 l	162	8	G
Salsa con crema de leche, bourbon y vainilla, 1 ración	270	8,8	G

VN = Valor nutricional
G = muy rico en grasas – consumir con precaución
M = muy rico en minerales – consumo preferente
B = rico en fibra – consumir cuando sea necesario

P = muy rico en proteínas – consumo preferente
H = rico en carbohidratos – consumir con moderación
V = muy rico en vitaminas – consumo preferente

S

	kcal	Grasa g	VN		kcal	Grasa g	VN
Salsa Cumberland, 1 CS	40	1	H	Salsa de soja, dulce, 1 CS	20	0	
Salsa Curry, Knorr, 1/4 l	203	10	G	Salsa de tomate, 0,1 l, pr	17	*	V
Salsa Curry, Maggi, 1/4 l	110	3,1	H	Salsa de tomate, espesa, 1/4 l	154	6	G
Salsa de ajo con hierbas	202	17,7	GH				
Salsa de arándanos rojos	146	*	H	Salsa de tomate Napoli, Knorr, 1/4 l	129	2	G
Salsa de cebolla a la francesa, Maggi, 1/4 l	105	48	G	Salsa de verdura para la pasta, Oro di Parma	55	2,3	GH
Salsa de cebolla y ajo para la pasta, Oro di Parma	67	3,0	GH	Salsa de yogur para la ensalada	205	19	G
Salsa de crema de leche con jamón	105	8	G	Salsa Dip, medio picante, 1 envase	133	0,1	H
Salsa de crema de leche para platos de pescado	191	18,9	G	Salsa doble para carne blanca y verdura	42	2	G
Salsa de chocolate, en polvo, preparada	53	1,7	GH	Salsa doble para carne roja y caza	50	3	G
Salsa de Edelpilz, Knorr, 1/4 l	201	15	G	Salsa doble para pescado, verdura y pasta	35	1	G
Salsa de gourmet para asados, Knorr, 1/4 l	109	4	G	Salsa gitana, 1 CS	25	0	H
				Salsa holandesa, 1 CS	47	0,4	G
Salsa de Gulasch, Maggi, 1/4 l, preparada	128	6,3	G	Salsa mayonesa	509	50,8	G
				Salsa mexicana	87	9	H
Salsa de hierbas para ensalada a la italiana, Maggi, 1 bolsa	22	0,1		Salsa para asados, Instant, Maggi, 1/4 l, preparada	80	5	GH
				Salsa para barbacoa	112	0,3	
Salsa de mango, Kraft, 1 CS	32	0,5		Salsa para barbacoa, Kraft, 1 CS	28	0,1	
Salsa de mostaza, 1 CS	60	5	G	Salsa para cerdo asado, Maggi, 1/4 l	98	5,5	G
Salsa de nata con rábano, 1 CS	71	6	G	Salsa para el asado, en tubo, Knorr, 1/4 l	199	15	G
Salsa de nata	253	26	G	Salsa para el asado, instantánea, Maggi, 1/4 l	80	5	G
Salsa de parmiggino rojo	115	8	H				
Salsa de pimienta con crema de leche	115	7,5	GH	Salsa para ensalada con yogur, 1 CS	34,4	3	G
Salsa de queso con hierbas, Gourmet, Knorr, 1/4 l	199	13	G	Salsa para ensalada, con yogur	209	20,5	GH
Salda de setas, Buitoni fresco	154	13,6	G	Salsa para ensalada, «Balsamico»	56	3	
Salsa de soja, salada, 1 CS	10	0	H	Salsa para ensalada, «French Dressing», 1 CS	90	10	G

VN = Valor nutricional

G = muy rico en grasas – consumir con precaución

M = muy rico en minerales – consumo preferente

B = rico en fibra – consumir cuando sea necesario

P = muy rico en proteínas – consumo preferente

H = rico en carbohidratos – consumir con moderación

V = muy rico en vitaminas – consumo preferente

ALIMENTOS Y BEBIDAS DE LA «A» A LA «Z»

S

	kcal	Grasa g	VN
Salsa para ensalada, «Italian Dressing», 1 CS	95	10	G
Salsa para parrillada, Kraft, 1 CS, pr	64	0	
Salsa pesto	465	45	G
Salsa Remoulade Gourmet, 1 CS	83	8,6	G
Salsa rosa (ketchup y mayonesa)	432	39,8	GH
Salsa Schaschlik, 1 CS	17	*	G
Salsa tártara, 1 CS	70	7	G
Salsa Texicana, Maggi	101	0,3	
Salsa Tzatziki, 1 CS	46	4	G
Salsa vinagreta para ensalada	247	24,9	G
Salsa Worcestershire, 1 porción	2	0	
Salsa Worcestershire	92	0	
Salsas Tiger, fresa, chocolate, pr	250	1,5	
Salteado a la campesina	146	7,5	GH
Salteado Caribe, GL	101	1,7	H
Salvado de avena en copos, 40 g	128	3,4	BP
Salvado de semillas de lino, 1 CT	15	1,3	BG
Salvado de semillas de lino, 1 CS	45	4	BG
Salvado de trigo comestible	174	5	B
Salvado de trigo comestible, 1 CS	9	0,3	B
Salvado de trigo	180	5	B
Sandía	37	0,2	
Sanella	720	80	G
Sangría, 0,2 l	200	0	
Sangrita picante	5 cl	15	0
Sangrita	5 cl	15	0
Sardinas	164	2	P
Sardinas ahumadas	260	19	G

	kcal	Grasa g	VN
Sardinas en aceite, escurridas	220	12	G
Sardinas en aceite, escurridas, 1 pieza, pr	55	3	G
Sardinas frescas	135	5	P
Sargo	150	9	PG
Sargo fresco, 200 g	180	11	PG
Satsuma	46	0,3	V
Satsuma, 1 pieza, 40 g	18	0,1	V
Schnaps de comino, 32 %, 2 cl	40	0	
Schnaps, 32 %, 2 cl	37	0	
Schnaps, 38 %, 2 cl	44	0	
Sebo de cordero	789	81	G
Sebo de vaca	920	96	G
Selección de bayas secas, 0,1 l, pr	126	0	
Semillas de amapola	536	22	G
Semillas de calabaza, 20 g	120	10	G
Semillas de lino, 1 CS	87	8	BG
Semillas de lino, abiertas	375	31	BG
Semillas de lino, peladas	434	38	BG
Semillas de sandía, 10 g	60	5	G
Semillas de sésamo, 1 CS	55	5	G
Sémola	330	1	H
Sémola, 1 CS	48	0,1	H
Sémola congelada	131	4,3	H
Sémola de grano verde, Knorr	352	3	
Sémola de maíz	339	1,1	P
Sémola de trigo	328	1	BH
Sémola de trigo sarraceno	361	1,7	P
Sémola de trigo sarraceno, 1 CS	65	0,3	P
Sémola roja	120	0	H
Sémola roja con salsa de vainilla y Bourbon	108	1,2	H
Sémola roja light, distintas variedades	59	0,2	H

VN = Valor nutricional
G = muy rico en grasas – consumir con precaución
M = muy rico en minerales – consumo preferente
B = rico en fibra – consumir cuando sea necesario

P = muy rico en proteínas – consumo preferente
H = rico en carbohidratos – consumir con moderación
V = muy rico en vitaminas – consumo preferente

S

	kcal	Grasa g	VN
Sémola roja para diabéticos, con salsa de vainilla	64	1,2	H
Serbal de los cazadores	87	0	MV
Serbal de los cazadores, dulce	87	0	V
Sésamo con miel	576	25	GH
Setas (Boletus luteus)	12	0,4	MV
Setas, pr	15	0,2	MV
Setas, secas, 10 g, pr	27	0,5	MV
Setas frescas (Boletus luteus) 500 g	48	1,6	MV
Setas frescas, 500 g	75	1	
Setas Shii-Take	40	0	MV
Side Carr, 6 cl	130	0	
Sidra	115	0	
Siluro	175	12	PG
Siluro fresco, 200 g	209	14	PG
Slibovitz, 38 %, 2 cl	60	0	
Smacks choco, Kellogg's, 30 g con leche	198	19	GH
Smacks, Kellogg's, 30 g con leche	168	2,2	H
Smarties	455	15	H
Smarties, 1 pieza	5	*	
Smarties de chocolate con leche, Ritter Sport	527	27	GH
Smarties Mini, 1 pieza	2	*	
Snack con carne picada, Knorr, 2 raciones	580	12	H
Snack de arroz 4 cereales	372	3	BH
Snack de arroz y cereales integrales	386	4	BH
Snack de arroz y maíz	380	2	BH
Snack de queso, Knorr, 2 raciones	622	20	GH
Snack de salchicha, GL	305	20,3	GH
Snack de yogur, 1 pieza	105	5	GH
Snack Nesquik, 1 pieza	98	5	GH
Snickers mini, por unidad	40	2,2	G

	kcal	Grasa g	VN
Snickers, 1 barrita pequeña, 18 g	90	15	GH
Snickers, 1 barrita, 60 g	301	17	GH
Sobrasada	425	36	G
Soja Dream	179	17,7	G
Soja entera	397	21	PG
Soja preparada como carne picada	285	1	PG
Soja salteada, GL, 200 g	180	2	
Soja seca	323	18	PG
Soja sin grasa	327	7	P
Soja, carne vegetal	106	6	PG
Solomillo de cordero	142	6	PG
Sopa bávara de albóndigas de hígado, 1 ración	150	10	GH
Sopa Bouillon instantánea, 1 taza	9	0,6	G
Sopa china picante, 1 plato	118	4,8	G
Sopa de albóndigas de carne, Maggi, 1 plato	60	1,6	
Sopa de albondiguillas de tuétano, gourmet, Knorr, 1 plato	77	4	G
Sopa de cabritos (setas), Maggi, 1 plato	119	7,5	G
Sopa de carne (en cubitos), Knorr, 1/4 l	18	1,5	G
Sopa de carne de vaca con fideos, Knorr, 1 plato	62	1,3	GH
Sopa de carne de vaca, en cubitos, 1 plato	15	1	G
Sopa de carne de vaca, Maggi, 1 plato	62	1,6	GH
Sopa de carne instantánea, 1 plato	14	1	G
Sopa de cebolla, Maggi, 1 plato	43	1,7	G

VN = Valor nutricional
G = muy rico en grasas – consumir con precaución
M = muy rico en minerales – consumo preferente
B = rico en fibra – consumir cuando sea necesario

P = muy rico en proteínas – consumo preferente
H = rico en carbohidratos – consumir con moderación
V = muy rico en vitaminas – consumo preferente

S

	kcal	Grasa g	VN		kcal	Grasa g	VN
Sopa de cebolla, Knorr, 1 plato	74	2,5	GH	Sopa de crema de verduras con picatostes, Knorr, 1 plato	106	7	G
Sopa de coliflor y bróculi, Knorr, 1 plato	77	3	G	Sopa de crema de espárragos lista para servir, 1 ración, 0,2 l	104	7,6	G
Sopa de coliflor y bróculi con jamón, Maggi, 1 plato	154	9,3	G	Sopa de crema de espárragos, 1 plato	128	7	G
Sopa de crema de ave, Maggi, 1 ración	150	11	PG	Sopa de crema de espárragos, preparada con agua, Knorr, 1 plato	139	9	G
Sopa de crema de bogavante	170	13	G	Sopa de crema de espárragos, concentrado, 1 ración, 0,2 l	62	2,8	G
Sopa de crema de bróculi, Bistro, GL, Iglo, 150 ml	120	8	G	Sopa de crema de espárragos, Maggi, 1 plato	70	2,3	G
Sopa de crema de champiñones, sobre, Knorr, 1 plato	111	8	G	Sopa de estrellitas, Knorr, 1 bolsa	272	6	
Sopa de crema de champiñones, Gourmet, Maggi, 1 plato	119	4,8	G	Sopa de fideos con espinacas, Instant, 1 ración	142	1,4	H
Sopa de crema de hierbas con champiñones, preparada con agua, Knorr, 1 plato	146	9	G	Sopa de fideos con queso y tocino ahumado, Minuto	113	5	H
Sopa de crema de perifollo, PP, 1 plato	70	2		Sopa de fideos con tomate, Instant, 1 ración	134	1,4	H
Sopa de crema de puerros con picatostes, Knorr, 1 plato	131	10	G	Sopa de Gulasch, Knorr, 1 plato	111	6	G
Sopa de crema de puerros, 1 plato	148	12	G	Sopa de letras, PP, 1 plato	70	1,5	
Sopa de crema de queso (bolsa), Knorr, 1 plato	157	12	G	Sopa de marisco con huevo, Maggi, 1 plato	51	1,2	
Sopa de crema de tomate con picatostes, Instant, 1 ración	122	4,2	H	Sopa de migas, Knorr, 1 plato	99	6	G
Sopa de crema de tomate, bolsa, Maggi, 1 plato	73	1	H	Sopa de mijo, 1 plato	63	1,5	P
Sopa de crema de verduras	122	2	H	Sopa de patata con tocino ahumado, 1 plato	118	2,3	H
				Sopa de patatas, 1 plato	128	0,8	H
				Sopa de pollo Bihun, Eismann, 1 plato	103	2,5	

VN = Valor nutricional

G = muy rico en grasas – consumir con precaución

M = muy rico en minerales – consumo preferente

B = rico en fibra – consumir cuando sea necesario

P = muy rico en proteínas – consumo preferente

H = rico en carbohidratos – consumir con moderación

V = muy rico en vitaminas – consumo preferente

S

	kcal	Grasa g	VN
Sopa de pollo con fideos, Maggi, 1 plato	126	3,7	G
Sopa de pollo con fideos, Knorr, 1 plato	78	2	G
Sopa de pollo, envase, Maggi, 1 plato	58	0,8	G
Sopa de rabo de buey, concentrado, 1 plato	100	6	G
Sopa de rabo de buey, Maggi, 1 plato	83	4	G
Sopa de tomate (bolsa), con ravioli, Maggi, 1 plato	211	6	H
Sopa de tomate (bolsa), Knorr, 1 plato	68	1	H
Sopa de tomate, rústica	46	1,5	
Sopa de tomate, Toscana, Knorr, 1 plato	94	3	H
Sopa de verduras y pasta, Maggi, 1 plato	134	1,3	H
Sopa de verduras, pobre en sodio,1 plato	20	1,5	
Sopa húngara de gulasch	49	2,1	G
Sopa minestrone de verduras, Knorr, 1 plato	58	1,7	H
Sopas bajas en calorías, 1 plato, pr	40	0	
Sopas preparadas (bolsa), 1 plato, pr	70	3	G
Sopas preparadas (lata), 1 taza, pr	70	3	G
Spätzli, Hilcona	174	1,8	H
Special H, Kellogg's, 30 g con leche	166	2,2	H
Spirelli a la boloñesa con salsa de tomate y carne, Pasteria, Maggi, 1 bolsa	716	10,6	H
Sprite	90	0	
Squash	26	0,1	MV

	kcal	Grasa g	VN
Sticks de ave, GL, Iglo	218	10	PH
Sucedáneo de café, Linde's, 1 taza	4	0	
Sucedáneo de huevo, 1 ración	61	4,7	H
Sucedáneo de miel, 20 g	65	0	H
Sucedáneo de salmón (salmón marino) en aceite	150	8	G
Suero de mantequilla a partir de polvos, 0,25 l	125	3	PH
Suero de mantequilla puro	43	1,0	PH
Suero de mantequilla	37	0,9	PH
Süsette (ciclamato)	0		

T

	kcal	Grasa g	VN
Tabasco, 1 CT	0	0	
Tableta efervescente de calcio, por tableta	7	0	M
Tableta efervescente de magnesio, por tableta	7	0	M
Tableta efervescente multivitamínica, por tableta	8	0	M
Tacitos	483	25	GH
Tacos	521	25	GH
Tagliatelle al Pesto	284	3,1	H
Tagliatelle con espinacas, Buitoni	352	1,9	H
Tagliatelle, Buitoni, (crudos)	300	4	H
Tamarillo	50	0,8	V
Tamarillo, 1 pieza, 80 g	40	0,6	V
Tamarindo, 25 g	60	0	BH
Tangerinas frescas, 500 g	195	1,3	MV
Tangerinas	46	0,3	MV
Tangerinas, 1 pieza, 50 g	20	0,1	MV
Tapioca, 1 CS	54	0	H

VN = Valor nutricional
G = muy rico en grasas – consumir con precaución
M = muy rico en minerales – consumo preferente
B = rico en fibra – consumir cuando sea necesario

P = muy rico en proteínas – consumo preferente
H = rico en carbohidratos – consumir con moderación
V = muy rico en vitaminas – consumo preferente

T

	kcal	Grasa g	VN
Tarrina de cinco minutos, potaje de pollo con pasta, Maggi, 1 tarrina	148	2,8	H
Tarrina de cinco minutos, potaje de lentejas con patatas, Maggi, 1 tarrina	239	7,2	H
Tarrina de cinco minutos, puré de patatas con cebolla y picatostes de pan, Maggi, 1 tarrina	290	16,2	G
Tarrina de cinco minutos, pasta en salsa de crema de leche, Maggi, 1 tarrina	297	12,6	GH
Tarrina de hígado de oca, 75 %, pr, 1 CS	120	12	G
Tarrina de hígado de oca, 75 %, pr	600	60	G
Tarrina de sopa, distintas variedades, Maggi, 1 tarrina, pr	202	4,6	H
Tarrinas light, fresas, 1 tarrina	73	2,2	H
Tarta alsaciana flambeada, GL	273	15,2	GH
Tarta de albaricoques	220	9	GH
Tarta de cerezas de la Selva Negra	273	13,5	GH
Tarta de cerezas de la Selva Negra, 1 pieza	580	35	GH
Tarta de chocolate con nata	282	18	GH
Tarta de frutas, 25 g	130	7	GH
Tarta de limón, HM, preparada 1 pieza	234	9	GH
Tarta de limón, preparada	331	19	GH
Tarta de mazapán con nata	324	17,6	GH
Tarta de nata con nueces, 1 pieza	326	25	GH

	kcal	Grasa g	VN
Tarta de nata light, distintas variedades, GL, pr	257	19,2	GH
Tarta de queso con nata, GL	238	14	GH
Tarta de queso con nata, 1 pieza	281	15	GH
Tarta Mozart, 1 pieza	100	5	GH
Tarta negra y blanca	472	25	GH
Tarta Royal Ramee, 60 % de grasa	398	33	G
Tartali de tomate y mozzarella	198	5	H
Tartali de verdura	196	4,3	H
Tartalini con queso,	203	3,9	H
Tartalini con salsa de crema de leche, GL	244	15	G
Tartalini, Buitoni, crudos	320	10	G
Tartaloni con carne	200	4,3	H
Tartaloni con tomate	120	2,8	H
Tartas de frutas	494	22	GH
Té	0	0	MV
Té helado	64	0	
Té helado, Natreen, 0,2 l	24	0	
Té helado con limón, Instant, 0,2 l	58	0	H
	58	0	H
Té helado con melocotón Instant, 0,2 l	58	0	H
Té negro	0	0	M
Tenca	108	5	PG
Tenca fresca, 200 g	146	7	PG
Tequila, 40 %, 2 cl	48	0	
Terrones de azúcar	394	0	H
Terrones de azúcar, 1 terrón	12	0	H
Tiamo, 1 pieza	59	4	G
Tiburón	130	10	G
Tiburón espinoso	130	1	P
Tic-Tac, 1 pieza	2	0	H
Tímalo	90	4	PG
Tímalo ahumado	121	2	P

VN = Valor nutricional
G = muy rico en grasas – consumir con precaución
M = muy rico en minerales – consumo preferente
B = rico en fibra – consumir cuando sea necesario

P = muy rico en proteínas – consumo preferente
H = rico en carbohidratos – consumir con moderación
V = muy rico en vitaminas – consumo preferente

ALIMENTOS Y BEBIDAS DE LA «A» A LA «Z»

T

	kcal	Grasa g	VN
Tímalo fresco, 200 g	94	5	PG
Tiras de pimiento, GL	26	0,3	V
Toasties, queso fundido	212	12	PG
Toblerone	525	30	GH
Tocino	658	35	G
Tocino, grasa	858	40	G
Tocino para el desayuno, a la plancha sin grasa	330	24	G
Tocino para el desayuno, hervido	611	58	G
Tocino para el desayuno, crudo	658	60	G
Tofee de jengibre	390	0	H
Tofu	106	6	PG
Tom Collins (5 cl de ginebra), 0,25 l	195	0	
Tomate al gusto, distintas variedades, Knorr, 1 envase, pr	135	2	
Tomate colado	24	0,3	
Tomate en lata	21	0,2	M
Tomate enano	17	0,2	V
Tomate picado, 1 CS	25	1	G
Tomate	17	0,2	MV
Tomate, 1 pieza, 50 g	8	0,1	MV
Tomijo, 1 CS	5	0	
Tónica Schweppes, 0,2 l	143	0	
Tónica Schweppes, light, 0,2 l	4	0	
Top Energie, bebida energética de dextrosa, 0,2 l	115	0	H
Toppas, Kellogg's, 30 g con leche, distintas variedades, pr	190	2,5	H
Tordo	111	10	PG
Tortas de queso fresco y nata	272	18,5	GH
Tortigliocini, Buitoni (crudos)	362	1,7	H
Tostada con queso, jamón y frutas, 1 pieza	370	12	G

	kcal	Grasa g	VN
Tostadas con queso fundido, 45 %, 1 rebanada	70	6	G
	70	6	G
Tostadas de müsli integral, Wasa, 1 rebanada	50	0,5	B
Tostadas de pan de centeno, 1 rebanada	37	0,1	BH
Tostadas de pan, 1 rebanada, 10 g, pr	38	0,1	B
Tostadas de trigo, Wasa, 1 rebanada	56	0,9	H
Tostadas Delicatess, 1 rebanada	30	0,1	H
Tostadas integrales, 1 rebanada	38	0,1	B
Tostadas integrales, 1 rebanada, 30 g	89	1	H
Tragacanto, 10 g	3	0	
Trenza de levadura, 1 rebanada	150	4	H
Trigo, grano entero	308	2	P
Trigo dietético, 1 ración, 40 g	156	3	B
Trigo sarraceno, integral	364	1,7	P
Trucha	112	2,9	P
Trucha ahumada	128	3,3	P
Trucha arcoiris	112	2,9	P
Trucha arcoiris fresca, 200 g	116	3	P
Trucha fresca, 200 g	116	3	P
Trufa	27	0,5	MV
Trufas heladas, 1 pieza	70	4	GH
Tuc Party Snacks, mini-pizzas	519	30	GH
Tuc Party Snacks, galletas con crema y finas hierbas	563	37	GH
Tuétano	920	90	G
Tuétano de vaca	920	96	G
Tzatziki	135	9,9	G

VN = Valor nutricional

G = muy rico en grasas – consumir con precaución

M = muy rico en minerales – consumo preferente

B = rico en fibra – consumir cuando sea necesario

P = muy rico en proteínas – consumo preferente

H = rico en carbohidratos – consumir con moderación

V = muy rico en vitaminas – consumo preferente

U

	kcal	Grasa g	VN
Underberg, 44 %, 2 cl	49	0	
Urogallo rebozado	199	15	PG
Uvas	68	0,2	
Uvas de mesa	68	0,2	M
Uvas reginas frescas, 1.000 g	660	2	V
Uvas reginas	68	0,2	V
Uvas secas	296	0	BH

V

	kcal	Grasa g	VN
Verde para el caldo, 1 manojo, pr	50	0,4	V
Verdura imperial, GL Bonduelle	22	0,4	B
Verduras a la mexicana, GL	69	0,7	H
Verduras con mantequilla, GL, Iglo, 150 g	156	9	G
Verduras con queso fresco	130	8	P
Verduras chinas salteadas, Bonduelle	60	0,4	H
Verduras chinas, GL, Bonduelle	19	0,2	MV
Verduras de granja, GL, Iglo, 300 g	108	0,6	MV
Verduras de los Balcanes, GL, Iglo	85	0,9	H
Verduras de verano, GL, Bonduelle	22	0,4	
Verduras Farmers, GL, Iglo, 300 g	108	0,6	BH
Verduras para el caldo, GL, Iglo, 450 g	108	*	
Verduras salteadas a la campesina, GL, Iglo	109	5,7	G

	kcal	Grasa g	VN
Verduras salteadas a la italiana, GL, Iglo, 300 g	177	9	G
Verduras salteadas a la italiana, GL, Iglo	59	3	G
Verduras salteadas con mantequilla, GL	103	7,4	G
Verduras variadas con arroz salvaje, GL, Eismann	78	2	H
Vermuth, dulce, 5 cl	85	0	
Vermuth, seco, 5 cl	57	0	
Vinagre, 1 CS	4	0	
Vinagre, acidez 6 %	18	0	
Vinagre balsámico blanco con albahaca	122	0	
Vinagre balsámico de Módena	104	0	
Vinagre balsámico	133	0	
Vinagre con hierbas Altmeister	18	0	
Vinagre de aguardiente	16	0	
Vinagre de fruta, 1 CS	4	0	
Vinagre de limón, 1 CS	4	0	
Vinagre de manzana bebible, 500 ml	245	0,5	
Vinagre de manzana natural turbio con miel	52	0	
Vinagre de manzana natural turbio	18	0	
Vinagre de vino, 1 CS	4	0	
Vinagre de vino blanco	20	*	
Vinagre de vino tinto	19	0	
Vino blanco, francés, 0,25 l	200	0	
Vino blanco alemán, seco, 0,25 l, pr	150	0	
Vino blanco del Mosela, seco, 0,25 l	125	0	
Vino blanco del Rhin, seco, 0,25 l	142	0	

VN = Valor nutricional

G = muy rico en grasas – consumir con precaución

M = muy rico en minerales – consumo preferente

B = rico en fibra – consumir cuando sea necesario

P = muy rico en proteínas – consumo preferente

H = rico en carbohidratos – consumir con moderación

V = muy rico en vitaminas – consumo preferente

ALIMENTOS Y BEBIDAS DE LA «A» A LA «Z»

	kcal	Grasa g	VN
Vino blanco del Rhin, 0,25 l	189	0	
Vino blanco semiseco, 0,25 l, pr	183	0	
Vino blanco, alemán, con bayas, 0,25 l, pr	223	0	
Vino blanco, francés, de Borgoña, 0,25 l	164	0	
Vino blanco, francés, de Alsacia, 0,25 l	170	0	
Vino blanco, italiano, Pinot grigio, 0,25 l	153	0	
Vino blanco, italiano, Soave, 0,25 l	160	0	
Vino blanco, italiano, Frascati, 0,25 l	165	0	
Vino blanco, italiano, Chardonnay, 0,25 l	175	0	
Vino con gaseosa, blanco o tinto, 0,25 l	75	0	
Vino de grosellas, 0,25 l	190	0	
Vino de mesa, blanco, 0,25 l, pr	160	0	
Vino de mesa, tinto, 0,25 l, pr	190	0	
Vino de Rioja, 0,25 l	167	0	
Vino espumoso, Blanc Fussy, brut, 0,1 l	69	0	
Vino espumoso, Asti Spumante, 0,1 l	82	0	
Vino helado, 0,25 l	320	0	
Vino rosado Mateus Rosé, 0,25 l	175	0	
Vino rosado, Côtes de Provence, 0,25 l	184	0	
Vino tinto, alemán del Rhin, 0,25 l	177	0	
Vino tinto, francés, Côtes du Rhône, 0,25 l	162	0	
Vino tinto, francés, Loire, 0,25 l	165	0	

	kcal	Grasa g	VN
Vino tinto, francés, Beaujolais, 0,25 l	167	0	
Vino tinto, francés, Borgoña, 0,25 l	175	0	
Vino tinto, francés, Burdeos, 0,25 l	175	0	
Vino tinto, francés, Vin du Pays, 0,25 l	190	0	
Vino tinto, francés, Châteauneuf-du-Pape, 0,25 l	192	0	
Vino tinto, húngaro, Sangre de toro de Erlau, 0,25 l	204	0	
Vino tinto, italiano, Barbera, 0,25 l	175	0	
Vino tinto, italiano, Valpolicella, 0,25 l	175	0	
Vino tinto, italiano, Chianti, 0,25 l	177	0	
Vino tinto, italiano, Barolo, 0,25 l	187	0	
Vino tinto, suizo, Dôle du Valais, 0,25 l	170	0	
Vino tinto, yugoslavo, Plavac, con hierbas, 0,25 l	176	0	
Vino tinto, yugoslavo, Plavac, suave, 0,25 l	187	0	
Vino tinto, yugoslavo, Amselfeld, 0,25 l	189	0	
Vinos para diabéticos, 0,25 l, pr	165	0	
Virutas de almendra, light	464	28	GH
Virutas de cacahuete	489	24	GH
Virutas de cacahuete, 1 CS	50	2	GH
Vitaborn C, 0,1 l	54	0	V
Vitacult	540	60	G
Vitazell	720	80	G

VN = Valor nutricional
G = muy rico en grasas – consumir con precaución
M = muy rico en minerales – consumo preferente
B = rico en fibra – consumir cuando sea necesario

P = muy rico en proteínas – consumo preferente
H = rico en carbohidratos – consumir con moderación
V = muy rico en vitaminas – consumo preferente

V	kcal	Grasa g	VN
Vitazell light	360	40	G
Vodka, 40 %, 2 cl	45	0	

W	kcal	Grasa g	VN
Whisky de malta, 43 %, 4 cl	120	0	
Whisky escocés, 40 %, 4 cl	100	0	
Whisky irlandés, 40 %, 4 cl	115	0	
Whisky sour, 5 cl	160	0	
Whisky, Bourbon, 40 %, 4 cl	115	0	
White Lady, 6 cl	190	0	

X	kcal	Grasa g	VN
Xylit, 10 g	40	0	

Y	kcal	Grasa g	VN
Yakult, 1 ración	51	*	H
Yakult light, 1 ración	31	*	H
Yambo	54	0,6	MV
Yema de huevo seca, 10 g	68	6	G
Yema de huevo, tamaño mediano, 19 g	68	6	G
Yes petits four, Nestlé, 1 pieza, pr	90	5	G
Yes, Nestlé, 1 pieza, pr	175	10	GH
Yessini, Nestlé, 1 pieza, pr	78	4	G
Yoco Snack, 1 pieza	106	5	G
Yo-fruit, nata	147	10	G

	kcal	Grasa g	VN
Yogur bebible de naranja y vainilla	74	0,8	H
Yogur bebible LC1, distintas variedades, Nestlé, pr	70	1	H
	70	1	H
Yogur con cereales tostados, distintas variedades, pr	138	5,8	H
Yogur con müsli	396	12,7	BH
Yogur con Smarties, Nestlé, 1 vaso	203	8	H
Yogur de chocolate light	498	37	GH
Yogur de fresa, 40 g	229	15,2	GH
Yogur de frutas bebible, Danone	90	1,7	H
Yogur de frutas con azúcar, Danone	111	3,5	H
Yogur de frutas y stracciatella	124	4,8	G
Yogur de frutas, Danone	121	3,5	PH
Yogur de frutas, pr	101	2,8	PG
Yogur de frutas, Fitness, light, Danone, 125 g	83	0,5	H
Yogur de leche dietética, con frutas, 0,3 %, 150 g	100	0,5	P
Yogur de leche dietética, 0,3 %, 150 g	60	0,5	P
Yogur de leche entera, 3,5 %	61	3,5	PG
Yogur de nata, 10 %, 150 g	180	15	G
Yogur de nata, 10 %, con frutas, 150 g	230	15	G
Yogur de nata, con hierbas	228	22	G
Yogur de Nesquik con cereales, 1 tarrina	155	6	GH
Yogur dietético, 0,3 % de grasa, 150 g	60	*	P
Yogur dietético, con frutas, 150 g	110	*	P

VN = Valor nutricional

G = muy rico en grasas – consumir con precaución

M = muy rico en minerales – consumo preferente

B = rico en fibra – consumir cuando sea necesario

P = muy rico en proteínas – consumo preferente

H = rico en carbohidratos – consumir con moderación

V = muy rico en vitaminas – consumo preferente

Y	kcal	Grasa g	VN
Yogur en polvo	341	1	
Yogur extra light, Danone, 125 g	55	0,4	P
Yogur LC1, distintas variedades, Nestlé, pr, 125 g	107	4	H
Yogur LC1,0,1 de grasa, distintas variedades, Nestlé, pr, 150 g	96	*	H
Yogur ligero, bajo en grasa	48	1,5	P
Yogur light, 1,5 % de grasa	44	1,5	PG
Yogur light, 1,5 % de grasa, con frutas	78	1,3	P
Yogur líquido, 0,25 l	60	0,5	H
Yogur líquido, 30 g	106	1	H
Yogur líquido con sabor a frutas, pr	130	1	
Yogur líquido de frutas, Heirler, 0,25 l	118	0,1	
Yogur líquido granulado, 1 CS	37	*	
Yogur líquido para dietas de adelgazamiento, 43 g	164	3,1	H
Yogur para niños, Danone, 125 g	131	3,7	H
Yogur, de leche entera, 3,5 % con frutas, 150 g	150	4,6	P
Yogur, de leche entera, 3,5 %, 150 g	92	5	PG
Yogurette, Ferrero	553	35	GH
Yogurette, Ferrero, 1 barrita	69	4,4	GH

Z	kcal	Grasa g	VN
Zanahorias	28	0,2	V
Zanahorias (en conserva)	30	0,2	

	kcal	Grasa g	VN
Zanahorias frescas, 500 g	112	0,8	V
Zanahorias pequeñas, extra finas, GL, Bonduelle	24	0,3	
Zibärtli, 42 %, 2 cl	42	0	
Zumo de albaricoque, bajo en calorías	30	0	V
Zumo de albaricoque, 0,2 l	50	0	
Zumo de albaricoque, light 0,2 l	116	0	V
Zumo de arándanos rojos, sin azúcar añadido, 0,2 l	55	0,4	V
Zumo de bayas de saúco, 0,2 l	76	0	MV
Zumo de bayas de saúco, sin azúcar añadido, 0,1 l	38	0	
Zumo de cerezas, 0,2 l	132	0	V
Zumo de cerezas amargas, 0,1 l	25	0	V
Zumo de col amarga	13	0	V
Zumo de col amarga, 0,1 l	15	0	V
Zumo de espinacas, 0,1 l	13	0	MV
Zumo de fruta de la pasión, 0,1 l	61	0,4	V
Zumo de grosellas, rojo, 0,2 l	100	0,4	V
Zumo de grosellas, negro, 0,2 l	110	0,4	V
Zumo de lima, 1 CS	5	*	V
Zumo de lima, 1 CT	1	*	V
Zumo de limón, 1 CS	3	*	V
Zumo de limón, 1 CT	1	*	V
Zumo de mandarina, 0,2 l	86	0,6	
Zumo de manzana natural turbio, 0,2 l	96	0,1	V
Zumo de manzana, 0,2 l	94	0	V
Zumo de maracuyá y albaricoque, 0,1 l	49	0	

VN = Valor nutricional
G = muy rico en grasas – consumir con precaución
M = muy rico en minerales – consumo preferente
B = rico en fibra – consumir cuando sea necesario

P = muy rico en proteínas – consumo preferente
H = rico en carbohidratos – consumir con moderación
V = muy rico en vitaminas – consumo preferente

ALIMENTOS Y BEBIDAS DE LA «A» A LA «Z»

Z	kcal	Grasa g	VN
Zumo de melocotón, 0,1 l	51	0	V
Zumo de membrillo, 0,1 l	64	*	
Zumo de moras sin azúcar añadido, 0,1 l	36	0	
Zumo de naranja ligero, 0,1 l	22	0	V
Zumo de naranja, de lata o botella, 0,1 l	50	0	V
Zumo de naranja, enriquecido con vitamina C, 0,2 l	78	0,1	V
Zumo de naranja, natural o congelado, 0,1 l	46	0	V
Zumo de naranja, 0,1 l	41	0	V
Zumo de ortigas, 0,1 l	19	0	V
Zumo de papaya, 0, 1 l	50	0,1	V
Zumo de pera, 0,1 l	54	0,2	
Zumo de piña, 0,1 l	54	0	V
Zumo de piña con azúcar (lata), 0,2 l	112	0,9	H
Zumo de piña sin azúcar (lata), 0,2 l	94	0,9	V
Zumo de pomelo, azucarado, en lata, 0,2 l	116	0,5	H
Zumo de pomelo sin azúcar añadido, 0,2 l	64	0,3	V
Zumo de pomelo suave, 0,2 l	42	0	
Zumo de remolacha	40	0	MV
Zumo de remolacha, 0,1 l	42	0	MV
Zumo de uva, 0,2 l	142	0	MV
Zumo de uva recién exprimido, 0,2 l	138	0	MV
Zumo de verduras, 0,2 l	30	0	V
Zumo de verduras vitaminado 0,1 l	12	0	V
Zumo de zanahoria	33	0	V
Zumo de zanahoria, 0,2 l	56	0	V
Zumos de fruta, con azúcar añadido, 0,2 l, pr	101	0	H

	kcal	Grasa g	VN
Zumos de fruta, con edulcorante, 0,2 l, pr	80	0	H
Zumos de fruta, sin azúcar, 0,2 l pr	80	0	V
Zumos de verdura, 0,1 l	15	0	V
Zumos de verduras, 0,1 l	30	0	V

VN = Valor nutricional

G = muy rico en grasas – consumir con precaución

M = muy rico en minerales – consumo preferente

B = rico en fibra – consumir cuando sea necesario

P = muy rico en proteínas – consumo preferente

H = rico en carbohidratos – consumir con moderación

V = muy rico en vitaminas – consumo preferente

COMER FUERA DE CASA

Esta tabla le será de gran utilidad cuando no sea usted quien haga la compra y cocine sus platos.

Aquí encontrará los datos acerca de las calorías y contenido de grasa de:

➤ Platos habituales en los restaurantes,
➤ platos de restaurantes de comida rápida de las principales cadenas,
➤ productos de repostería y,
➤ postres caseros que comemos con los amigos.

ADVERTENCIA

A menos que se indique lo contrario, los datos hacen referencia a una ración, que es como se calcula habitualmente en los libros de cocina.

Así, aunque no sepa con precisión las calorías de los ingredientes también podrá calcular fácilmente las de lo que come. Los datos se basan en gran parte en las prácticas habituales de los restaurantes y grandes cocinas. A pesar de que con estos datos no se puede seguir ninguna dieta estricta para adelgazar, sí que son muy útiles para aquellos que no deseen dejar de controlar lo que consumen.

Por favor, tenga en cuenta:

Los datos de calorías y grasas que aparecen en las siguientes páginas son aproximados.
Si quiere adelgazar, cuando coma en un restaurante o en casas de amigos será mejor que coma menos de lo que consumiría habitualmente.

A menos que se indique lo contrario los datos se refieren a 100 gramos de la parte comestible del producto.

A	kcal	Grasa g	VN
Albóndigas al horno, 1 pieza	400	29	PG
Albóndigas de albaricoque recubiertas de pasta, 1 ración	620	17	H
Albóndigas de grano verde, 1 ración	460	24	GH
Albóndigas de sémola con gorgonzola, 1 ración	860	52	GH
Albondiguillas de fresas, 1 ración	520	23	GH
Antipasti, 1 ración	650	48	
Arenque al horno con patatas asadas, 1 ración	637	40	G
Aros de cebolla, Burger King, 1 ración	310	14	GH
Arroz con leche con nugat, 1 ración	350	10	H
Asado de cerdo con costra,1 ración	760	62	PG
Asado de cerdo con salsa de cerveza, 1 ración	710	48	PG
Asado de ternera, 1 ración	670	48	PG

B	kcal	Grasa g	VN
Bacalao con salsa de mostaza, 1 ración	74	2	P
Bacalao en salsa de vino, 1 ración	290	9	P
Baguette, con queso	381	15	GH
Baguette, con salami, 1 pieza, 150 g	390	18	GH
Bami Goreng, 1 ración	620	18	G
Batido de vainilla, 0,3 l	389	10	GH
Batido de vainilla, McDonald's, 1 ración	293	7,6	GH

	kcal	Grasa g	VN
Batido de vainilla, Burger King, 1 ración	396	10	GH
Bebida de chocolate, 1 taza	260	12	GH
Berenjenas marinadas, 1 ración	380	35	G
Big Mac, McDonald's, 1 pieza	505	25,7	GH
Bistec con champiñones, 1 ración	338	17	
Bistec con pimiento, 1 ración	360	20	GH
Bistec con queso de oveja, 1 ración	690	54	PG
Bistec de cerdo, natural, al horno, 1 ración, 125 g	330	16	G
Bistec de cerdo, rebozado, al horno, 1 ración, 125 g	590	29	G
Bistec de ternera, 1 pieza, 125 g	230	9	PG
Bistec en salsa de vino tinto, 1 ración	670	53	PG
Bogavante, 1 ración	210	10	PG
Bolas de requesón con compota, 1 ración	270	5	H
Bolitas de carne chinas, 1 ración	275	19	PG
Bollería como guarnición (= 60 g en crudo),1 ración	220	0,6	H
Bollería como plato (= 100 g en crudo), 1 ración	390	3	H
Bollito mixto, 1 ración	1100	68	PG
Bratwurst de cerdo, 1 pieza, 150 g	545	52	G
Bratwurst de ternera, 1 pieza, 150 g	430	39	G
Bróculi al vapor con aceite y limón	190	17	G
Brocheta, 1 ración	230	19	G

VN = Valor nutricional

G = muy rico en grasas – consumir con precaución

M = muy rico en minerales – consumo preferente

B = rico en fibra – consumir cuando sea necesario

P = muy rico en proteínas – consumo preferente

H = rico en carbohidratos – consumir con moderación

V = muy rico en vitaminas – consumo preferente

B

	kcal	Grasa g	VN
Buñuelo de manzana, McDonald's, 1 pieza	220	12	GH
Buñuelos de cereza, McDonald's, 1 pieza	241	13	GH
Buñuelos de viento, 1 pieza	70	5	GH

C

	kcal	Grasa g	VN
Cacao con leche, 1 taza	260	12	GH
Café con leche con dos terrones de azúcar, 1 taza	79	3	H
Café con leche condensada y dos terrones de azúcar, 1 taza	42	2	GH
Café con leche condensada, 1 taza	18	2	G
Café con leche sin azúcar, 1 taza	55	3	
Café con una cucharada de leche y una cucharadita de azúcar, 1 taza	36	0,5	H
Café de cebada, 1 taza	4	0	
Café helado, 200 ml	235	20	H
Café irlandés, 200 ml	270	8	
Calzone con brócoli, 1 ración	950	50	G
Camembert al horno, 1 pieza	201	14	G
Canelones con espinacas, 1 ración	536	23	GH
Capucchino, con dos terrones de azúcar, 1 taza	70	3	H
Caracoles con mantequilla, 1 ración	245	22	G
Caracoles de viña con mantequilla, 1 ración	245	22	G

	kcal	Grasa g	VN
Carne de cordero con yogur, 1 ración	500	32	PG
Carne de ternera china, 1 ración	390	27	PG
Carne de ternera enrollada con salsa, 1 ración	220	8	PG
Carne de ternera, estofada, 1 ración	360	23	PG
Carne de ternera, fileteada,1 ración	480	18	G
Carne enrollada, 1 ración, 75 g	198	8	PG
Carpa al horno, 1 ración	600	21	PG
Carpa con mantequilla, 1 ración	480	24	PG
Carpaccio, 1 ración	210	15	PG
Carpaccio con queso parmesano y baguette	329	18	PG
Carpaccio con setas, 1 ración	120	9	G
Carraón con judías, 1 ración	360	12	BF
Cebada roja con salsa de vainilla, 1 ración	290	8	GH
Cerdo agridulce chino, 1 ración	432	12	GH
Cevapcici, 1 ración	300	24	G
Champiñones salteados, 1 ración	170	14	G
Cheesburger, McDonald's, 1 pieza	303	12,6	GH
Cheesburger, Burger King, 1 pieza	355	18	GH
Chile con carne, 1 ración	445	21	G
Chocolate desleido, 1 taza	260	12	G
Chuleta de cerdo natural, 1 ración, 125 g	440	21	G
Chuleta de cerdo rebozada, 1 ración, 125 g	580	28	G

VN = Valor nutricional

G = muy rico en grasas – consumir con precaución

M = muy rico en minerales – consumo preferente

B = rico en fibra – consumir cuando sea necesario

P = muy rico en proteínas – consumo preferente

H = rico en carbohidratos – consumir con moderación

V = muy rico en vitaminas – consumo preferente

COMER FUERA DE CASA

	kcal	Grasa g	VN
C			
Chuletas con col amarga, 1 ración	560	24	G
Cibatta con atún, 1 pieza, 150 g	307	23	GH
Cibatta con salami, 1 pieza, 150 g	369	19	GH
Clubsandwich	935	65	H
Cocktail de gambas, 1 ración	260	12	PG
Cordero asado, 1 ración	600	36	PG
Cordon Bleu, 1 ración, 150 g	315	11	PG
Costillas de cordero,1 ración	1.100	100	PG
Couscous con ratatouille, 1 ración	500	17	GH
Crema al vino, 1 ración	300	16	GH
Crema de albaricoques, 1 ración	570	20	GH
Crema de berenjenas con tomate, 1 ración	130	10	G
Crema de frambuesas, 1 ración	400	23	GH
Crema de Mascarpone, 1 ración	400	35	G
Crema de requesón con Amaretto, 1 ración	480	30	GH
Crema de vainilla, 1 ración	190	10	GH
Crêpes Suzette, 1 ración, 150 g	300	14	GH
Crêpes, 1 ración, 200 g	440	18	GH
Croissants, sin cobertura, McDonald's, 2 piezas	425	25	GH
Croissan'wich, Burger King, 1 pieza	600	46	GH
Croque Monsieur	402	14	GH
Croquetas de patata, caseras, 1 ración	214	10	G
Croquetas de pescado con salsa de limón, 1 ración	520	23	PG

	kcal	Grasa g	VN
Crostini con tomate, 1 ración	570	13	H
Curry de carne de ternera, 1 ración	310	14	PG

	kcal	Grasa g	VN
D			
Donuts, 1 pieza	309	18	GH
Dorada con costra de sal, 1 ración	290	11	PG
Dorada con costra de hierbas, 1 ración	380	16	PG

	kcal	Grasa g	VN
E			
Embutido de hígado, caliente, 1 ración	400	34	G
Ensalada americana	372	36	
Ensalada campesina, 1 ración	260	11	G
Ensalada campestre con nueces, 1 ración	220	21	G
Ensalada campestre con aceite y vinagre, 1 ración	95	3	MV
Ensalada con cangrejo y huevo, 1 ración	240	14	PG
Ensalada con tacos de queso, 1 ración	150	7	BG
Ensalada cuatro estaciones, 1 ración	160	6	G
Ensalada de alcachofas, 1 ración	220	13	G
Ensalada de apio con salsa de nueces, 1 ración	260	15	BG
Ensalada de arenque con patatas, 1 ración	480	24	G

VN = Valor nutricional
G = muy rico en grasas – consumir con precaución
M = muy rico en minerales – consumo preferente
B = rico en fibra – consumir cuando sea necesario
P = muy rico en proteínas – consumo preferente
H = rico en carbohidratos – consumir con moderación
V = muy rico en vitaminas – consumo preferente

E	kcal	Grasa g	VN		kcal	Grasa g	VN
Ensalada de arroz con pollo, 1 ración	330	5	P	Ensalada de hierbas, 1 ración	93	3	GV
Ensalada de atún, 1 ración	313	26	PG	Ensalada de hinojo y manzana, 1 ración	120	3	BV
Ensalada de ave con kiwis, 1 ración	330	10	P	Ensalada de huevo	450	28	G
Ensalada de berros con avellanas, 1 ración	150	14	G	Ensalada de judías con carne de ternera, 1 ración	450	27	PG
Ensalada de bróculi y espárragos con salmón, 1 ración	550	30	PG	Ensalada de lentejas, 1 ración	330	13	BG
Ensalada de calabacín con aciete, 1 ración	100	8	G	Ensalada de marisco, 1 ración	350	22	PG
Ensalada de cangrejo, 1 ración	240	9	PG	Ensalada de naranja y apio, 1 ración	240	13	MV
Ensalada de col blanca, 1 ración	93	3	BG	Ensalada de pasta con vinagreta, 1 ración	200	5	H
Ensalada de coliflor con queso, 1 ración	310	13	G	Ensalada de pasta con verdura, 1 ración	540	34	BG
Ensalada de coliflor y bróculi, 1 ración	260	13	BG	Ensalada de pasta con mayonesa, 1 ración	570	39	G
Ensalada de champiñones, 1 ración	81	5	PG	Ensalada de pasta integral, 1 ración	480	18	B
Ensalada de diente de león con queso de oveja, 1 ración	310	27	G	Ensalada de pastor, 1 ración	180	14	G
Ensalada de endivias con aceite y vinagre, 1 ración	120	4	MV	Ensalada de patatas con aceite, 1 ración	260	13	G
Ensalada de escarola con aceite y vinagre, 1 ración	120	2	MV	Ensalada de pepino con crema de leche, 1 ración	150	12	GV
Ensalada de escarola y rábanos (con salsa de crema de leche), 1 ración	230	16	BG	Ensalada de pollo con arroz, 1 ración	550	27	PG
Ensalada de fruta con zabaione, 1 ración	160	6	G	Ensalada de pulpo, 1 ración	110	1	P
Ensalada de fruta, 1 ración	150	2	V	Ensalada de rábanos, 1 ración	110	5	GV
Ensalada de guisantes con huevo, 1 ración	330	19	PG	Ensalada de remolacha con vinagre, 1 ración	30	0	B
				Ensalada de salchicha, 1 ración	278	22	PG
				Ensalada de tomate, 1 ración	67	4	G

VN = Valor nutricional

G = muy rico en grasas – consumir con precaución

M = muy rico en minerales – consumo preferente

B = rico en fibra – consumir cuando sea necesario

P = muy rico en proteínas – consumo preferente

H = rico en carbohidratos – consumir con moderación

V = muy rico en vitaminas – consumo preferente

E	kcal	Grasa g	VN
Ensalada de verduras con crema de leche, 1 ración	230	19	GV
Ensalada del Chef, McDonald's	93	5,4	
Ensalada del Chef con salsa, McDonald's	400	34	G
Ensalada griega	313	23	MV
Ensalada griega, 1 ración	330	30	G
Ensalada india con arroz y carne de pollo, 1 ración	260	8	PG
Ensalada niçoise, 1 ración	190	17	G
Ensalada Premium, Burger King, 1 ración	106	6	GH
Ensalada rojiblanca con aceite, 1 ración	395	36	GM
Ensalada Waldorf, 1 ración	140	10	GH
Entrecot, 1 ración	640	52	G
Escalopa a la cazadora, 1 ración	475	17	G
Escalopa de ternera, empanada, frita, 1 pieza, 125 g	450	20	PG
Escalopa de ternera, empanada, al horno, 1 pieza, 125 g	480	21	PG
Escalopa de ternera, natural, frita, 1 pieza, 125 g	160	7	PG
Escalopa de ternera, natural, asada, 1 pieza, 125 g	250	11	PG
Escarola con aceite, 1 ración	100	4	MV
Escarola con yogur, 1 ración	60	1	MV
Espagueti a la boloñesa, 1 ración	550	16	GH

	kcal	Grasa g	VN
Espagueti a la carbonara, 1 ración	635	30	GH
Espagueti con salsa de tomate, 1 ración	450	9	GH
Espalda de liebre, 1 ración	400	26	PG
Espinacas al vapor, 1 ración	120	2	MV
Espiral de pasas, 65 g	180	4	H
Estofado con col roja, 1 ración	670	47	PG
Estofado de pollo, 1 ración	366	19	G
Estrellitas de canela, 1 pieza	50	3	GH

F	kcal	Grasa g	VN
Fideos al vapor con salsa de vainilla, 1 ración	770	20	GH
Fideos con carne picada, 1 ración	793	40	H
Fideos con queso, 1 ración	460	17	GH
Fideos con salsa Gorgonzola, 1 ración	860	52	G
Fideos de mijo con hierbas, 1 ración	275	6	P
Filete con patatas, 1 ración	769	67	PG
Filete de bacalao, rebozado y al horno, 1 ración	300	10	G
Filete de cerdo a la suiza, 1 ración	810	66	PG
Filete de ciervo, marinado, 1 ración	105	1	P
Filete de cherna con salsa, 1 ración	570	40	PG
Filete de pechuga de pato en hojaldre, 1 ración	680	41	PG

VN = Valor nutricional

G = muy rico en grasas – consumir con precaución

M = muy rico en minerales – consumo preferente

B = rico en fibra – consumir cuando sea necesario

P = muy rico en proteínas – consumo preferente

H = rico en carbohidratos – consumir con moderación

V = muy rico en vitaminas – consumo preferente

F	kcal	Grasa g	VN
Filete de pechuga de pato con salsa, 1 ración	570	19	PG
Filete de salmón marino, rebozado y al horno, 1 ración	290	12	G
Filete de ternera con recubrimiento de hierbas, 1 ración	810	68	PG
Filete de trucha con almendras, 1 ración	430	27	PG
Filete Stroganoff, 1 ración	556	42	GH
Filetes de atún, 1 ración	550	34	PG
Filetes de corzo, 1 ración	230	10	PG
Filetes de espalda de liebre, 1 ración	110	2	P
Filetes de merluza al horno, 1 ración	600	40	PG
Filetes de pavo rellenos, 1 ración	310	17	PG
Filetes de pescado en escabeche, 1 ración	290	15	PG
Filetes de tiburón con salsa de Jerez, 1 ración	670	53	PG
Fish & Chips, 1 ración	462	23	GH
Fish King, Burger King, 1 pieza	426	21	GH
Fishmac, MacDonald's, 1 ración	382	20	GH
Fondue de pescado y marisco, 1 ración	745	57	PG
Fusili con espinacas y salsa de crema de leche, 1 ración	810	45	G

G	kcal	Grasa g	VN
Galletas con frambuesas, 1 pieza	160	7	GH
Gambas con Curry, 1 ración	260	6	P
Gambas con salsa al curry, 1 ración	230	10	PG
Ganso con col roja y albondiguillas, 1 ración	1.390	85	GH
Ganso de Navidad con albóndigas, 1 ración	845	28	PG
Gazpacho, 1 taza	98	4	
Gnocchi con verdura, 1 ración	790	18	H
Grissini, 1 palito	35	1	H
Grissinis de ajo, 1 pieza	50	2	H
Guarnición de pasta, 1 ración	195	0,5	H
Guarnición de zanahorias, 1 ración	150	1	MV
Gulasch con jugo de ternera, 1 ración	420	20	G
Gulasch de cerdo, 1 ración	750	32	G
Gulasch de ciervo con setas, 1 ración	600	34	PG
Gulasch de ternera, 1 ración	268	7	P

H	kcal	Grasa g	VN
Halibut a la parrilla, 1 ración	320	10	PG
Halibut a la plancha, 1 ración	310	13	PG
Hamburguesa Royal TS, McDonald's	561	34,2	GH
Hamburguesa vegetal, McDonald's, 1 ración	485	25	GH

VN = Valor nutricional
G = muy rico en grasas – consumir con precaución
M = muy rico en minerales – consumo preferente
B = rico en fibra – consumir cuando sea necesario

P = muy rico en proteínas – consumo preferente
H = rico en carbohidratos – consumir con moderación
V = muy rico en vitaminas – consumo preferente

H

	kcal	Grasa g	VN
Hamburguesa, Burger King, 1 pieza	330	15	GH
Hamburguesa, McDonald's, 1 pieza	254	8,8	GH
Helado con salsa de grosella caliente,1 ración	270	8	GH
Helado Sundae con galleta, McDonald's	153	3,4	GH
Helado Sundae con salsa, McDonald's, 1 ración, pr	279	8,4	GH
Hígado de corzo, 1 ración	330	28	G
Hígado de ternera, 1 ración	250	8	PG
Hinojo gratinado, 1 ración	500	38	G
Hinojo marinado, 1 ración	79	1	MV
Hojas de parra rellenas, 5 piezas	372	24	GH
Huevos crudos, 2 piezas	168	12	G
Huevos Egg McMuffin, McDonald's, 1 ración	415	22	G

J

	kcal	Grasa g	VN
Judías verdes con aceite de oliva, 1 ración	190	13	BG

K

	kcal	Grasa g	VN
King Nuggets, Burger King, 6 piezas	199	9	GH
King pommes, Burger King	347	18	GH
King Sundae, Burger King	221	55	GH
King Wings, Burger King	253	17	GH

L

	kcal	Grasa g	VN
Langostinos con salsa al curry, 1 ración	305	21	PG
Lasaña boloñesa, 1 ración	480	10	GH
Lechuga iceberg con aceite y vinagre, 1 ración	120	4	MV
Lengua de ternera en salsa de alcaparras, 1 ración	410	28	G
Lenguado en salsa de azafrán, 1 ración	290	13	PG
Lomo de jabalí, 1 ración	450	15	PG

M

	kcal	Grasa g	VN
Macarrones con queso, 1 ración	568	26	GH
Mantequilla, envase de hotel, 20 g	150	17	G
Marisco en salsa de mostaza, 1 ración	480	22	PG
Marisco gratinado, 1 ración	380	18	PG
McBaguette, McDonald's, 1 ración	380	15	GH
McCroissant, McDonald's, 1 ración	307	18,3	GH
McChicken, McDonald's 1 ración	459	23,1	GH
McFlurry, McDonald's, 1 ración	324	11	GH
McRib, McDonald's, 1 ración	476	21	GH
Mero con espinacas, 1 ración	400	16	PG
Mitades de aguacate rellenas de marisco, 1 ración	190	14	G

VN = Valor nutricional

G = muy rico en grasas – consumir con precaución

M = muy rico en minerales – consumo preferente

B = rico en fibra – consumir cuando sea necesario

P = muy rico en proteínas – consumo preferente

H = rico en carbohidratos – consumir con moderación

V = muy rico en vitaminas – consumo preferente

M

	kcal	Grasa g	VN
Moussaka, 1 ración	1.500	110	PG
Mousse de chocolate, 1 ración	240	14	GH
Mozzarella con tomate, 1 ración	300	23	PG
Muslos de conejo de monte, 1 ración	500	33	PG

N

	kcal	Grasa g	VN
Nasi Goreng, 1 ración	470	25	G
Nuggets de pollo, McDonald's, 6 piezas	205	12,2	G

O

	kcal	Grasa g	VN
Ojo de buey, 1 ración	120	2	H
Osso buco, 1 ración	539	14	H

P

	kcal	Grasa g	VN
Paella, 1 ración	580	25	G
Pan con jamón, 1 pieza	210	11	G
Pan con queso, 80 g	280	14	GH
Pan de ajo, 1 pieza	299	17	H
Pan de mantequilla, 1 rebanada	180	6	GH
Panecillo con cangrejo, 1 pieza	275	14	H
Panecillo con embutido de hígado, 1 pieza	300	16	GH
Panecillo con jamón, 1 pieza	271	11	GH
Panecillo con mantequilla y miel, 1/2 pieza	140	6	H

	kcal	Grasa g	VN
Panecillo con mantequilla y queso, 30 % de grasa, 1/2 pieza	170	10	GH
Panecillo con mantequilla, 1/2 pieza	110	6	GH
Panecillo con salmón	300	16	GH
Panna cotta, 1 ración	450	32	GH
Papardelle con salmón, 1 ración	460	10	GH
Parrillada de pescado, 1 ración	740	43	PG
Pasta con salsa de queso, 1 ración	500	14	G
Pasta de hojaldre con queso, 1 ración	895	67	GH
Pastas con nueces, 1 pieza	290	17	GH
Pastas de requesón con cerezas, 1 pieza	480	22	GH
Pastas rellenas, 1 pieza	260	13	GH
Pastel con especias, 1 pieza	230	17	GH
Pastel de ciruelas, 1 pieza	190	6	GH
Pastel de frutas (masa de galleta), 1 pieza	160	7	GH
Pastel de frutas (masa con levadura), 1 pieza	240	13	GH
Pastel de mantequilla, 1 pieza	310	14	GH
Pastel de queso, 1 pieza	450	28	GH
Pastel de ruibarbo, 1 pieza	290	12	GH
Pastel flambeado a la alsaciana, 1 pieza	370	21	GH
Pastelito con fresas, 1 ración	290	12	GH
Pastelito de fresas, 1 pieza	210	10	GH
Pata de cerdo a la bávara, 1 ración	600	49	PG

VN = Valor nutricional

G = muy rico en grasas – consumir con precaución

M = muy rico en minerales – consumo preferente

B = rico en fibra – consumir cuando sea necesario

P = muy rico en proteínas – consumo preferente

H = rico en carbohidratos – consumir con moderación

V = muy rico en vitaminas – consumo preferente

P	kcal	Grasa g	VN
Pata de conejo, 1 ración	480	23	PG
Pata de cordero, 1 ración	640	48	PG
Pata de ternera, al horno, 1 ración	430	15	PG
Patata al horno con una cucharada de crema de leche, 1 pieza, 200 g	200	7	G
Patatas al horno con mantequilla, 1 ración	640	39	BG
Patatas asadas con aceite, 1 ración	330	18	G
Patatas asadas con tocino, 1 ración	475	32	G
Patatas Bouillon, 1 ración	260	5	BH
Patatas envueltas, 1 pieza, 200 g	138	0,2	MV
Patatas fritas, McDonald's, 1 ración	321	17	GH
Patatas fritas, 1 ración	330	16	GH
Patatas gratinadas con queso, 1 ración	709	57	GH
Patatas saladas, 1 ración	140	0,2	MV
Pato pequinés, 1 ración	790	57	GH
Pechuga de pato en salsa de vino tinto, 1 ración	430	30	PG
Pechuga de pavo con salsa, 1 ración	380	13	PG
Pechuga de pavo en salsa, 1 ración	600	31	PG
Pechuga de pollo con mostaza, 1 ración	670	29	PG
Penne con tomate, 1 ración	590	17	GH
Picadillo de carne de ternera a la suiza, 1 ración	480	18	G

	kcal	Grasa g	VN
Pimientos rellenos, 1 ración, con salsa	620	28	G
Pizza con verduras, 1 ración	810	41	GH
Pizza integral, 1 pieza	240	15	G
Pizza napolitana, 1 pieza	450	22	GH
Pizza, casera, 1 ración	650	34	GH
Plato de col verde, 1 plato	357	27	G
Pollo a la plancha, 1/2 pollo	260	20	PG
Pollo al ast, 1/2	406	25	PG
Pollo al ast, 1/2, con patatas fritas	841	47	PG
Pollo con sésamo, 1 ración	340	20	PG
Porridge, 1 ración	400	8	GH
Potaje de guisantes, 1 ración	620	31	BP
Potaje de lentejas con salchicha, 1 plato	200	8	G
Potaje de verduras, 1 plato	330	21	BG
Pulpo, frito, con salsa, 1 ración	616	45	PG
Puré de judías, 1 ración	335	11	G
Puré de patatas, casero, 1 ración	150	3	H

Q	kcal	Grasa g	VN
Queso de carne caliente, 1 ración	400	34	G
Quiche de champiñones y bacon	360	28	G
Quiche de espárragos, 1 pieza	810	51	GH
Quiche Lorraine, 1 pieza	360	28	GH

VN = Valor nutricional
G = muy rico en grasas – consumir con precaución
M = muy rico en minerales – consumo preferente
B = rico en fibra – consumir cuando sea necesario

P = muy rico en proteínas – consumo preferente
H = rico en carbohidratos – consumir con moderación
V = muy rico en vitaminas – consumo preferente

R

	kcal	Grasa g	VN
Ragú de caza con salsa de crema de leche, 1 ración	670	31	PG
Ratatouille, 1 ración	260	12	G
Ravioli con espinacas y Ricotta, 1 ración	760	35	G
Ravioli con salsa de tomate, 1 ración	508	28	GH
Regular French Fries, con sal, Burger King, 1 ración	400	21	GH
Riñones en salsa de crema de leche, 1 ración	360	26	PG
Risotto con carne y verdura, 1 ración	500	17	GH
Risotto, 1 porción	454	22	GH
Roastbeef con salsa de hierbas, 1 ración	380	27	PG
Rodaballo con albahaca, 1 ración	600	26	PG
Rollitos chinos, 1 ración	224	12	G
Rollo de biscuit con crema, 1 pieza	350	19	GH
Rollo de carne de ternera, al horno, 1 ración	500	46	PG
Rollos de primavera, 150 g	411	17	GH

S

	kcal	Grasa g	VN
Salchicha al curry, 1 pieza	610	54	G
Salchicha Bockwurst, 1 pieza, 120 g	332	30	G
Salchicha de hígado (para calentar), 1 rodaja	950	89	G
Salchichas blancas, 2 piezas	365	16	G

	kcal	Grasa g	VN
Salchichas de roastbeef con col agria, 1 ración	370	28	GV
Salmón con espárragos, 1 ración	620	45	PG
Salsa con carne picada, 1 ración	326	16	GH
Salsa francesa, Burger King	205	18	G
Salsa vinagreta, 1 ración	230	25	G
Sardinas en escabeche, 1 ración	200	15	PG
Solomillo de cerdo con salsa, 1 ración	570	41	PG
Sopa con albóndigas de carne, 1 ración	365	12	G
Sopa con albondiguillas de tuétano, 1 plato	240	9	PG
Sopa china de pollo, 1 plato	330	6	H
Sopa de albóndigas de hígado, 1 plato	150	10	G
Sopa de carne de ternera con picatostes, 1 plato	70	2	GH
Sopa de carne, 1 plato	30	2	
Sopa de cebolla a la francesa, 1 plato	200	7	
Sopa de crema de setas, 1 plato	160	10	G
Sopa de crema de trucha, 1 ración	220	13	PG
Sopa de crema de champiñones, 1 ración	120	9	G
Sopa de curry con coco, 1 plato	260	19	G
Sopa de guisantes con fideos, 1 ración	360	18	G
Sopa de gulasch, 1 plato	128	6	G
Sopa de judías, 1 plato	425	12	B
Sopa de mijo, 1 plato	290	20	GH

VN = Valor nutricional
G = muy rico en grasas – consumir con precaución
M = muy rico en minerales – consumo preferente
B = rico en fibra – consumir cuando sea necesario

P = muy rico en proteínas – consumo preferente
H = rico en carbohidratos – consumir con moderación
V = muy rico en vitaminas – consumo preferente

S	kcal	Grasa g	VN
Sopa de pan, 1 ración	290	10	G
Sopa de patatas con salchicha, 1 plato	360	19	G
Sopa de pepino con gambas, 1 ración	270	14	GV
Sopa de pescado, 1 plato	201	9	G
Sopa de pollo, 1 ración	172	10	G
Sopa de salmón marino, 1 plato	290	8	PG
Sopa de sémola con maíz dulce, 1 plato	360	16	G
Sopa de tomate con fideos, 1 plato	400	20	G
Sopa de verduras, 1 plato	70	4	G
Sopa Minestrone, 1 plato	570	27	BG
Spirelli con verdura, 1 ración	430	8	BG
Strudel de frutas, 1 pieza	120	6	GH
Strudel de manzana, masa de tarta, 1 pieza	565	32	GH
Strudel de manzana, masa de hojaldre, 1 pieza	600	41	GH
Sushi, Maki, pr	188	4	
Sushi, Nigiri, pr	284	11	

T	kcal	Grasa g	VN
Tagliatelle con scampi y salsa de crema de leche, 1 ración	873	40	GH
Tarrina de hígado de aves, 1 ración	310	18	G
Tarta de cebolla, 150 g	365	27	GH
Tarta de cerezas de la Selva Negra, 1 pieza	580	35	GH
Tarta de cerezas, 1 ración	640	15	H
Tarta de crema de mantequilla, 1 pieza	570	33	GH

	kcal	Grasa g	VN
Tarta de chocolate, 1 pieza	480	33	GH
Tarta de fresas con nata, 1 pieza	300	14	GH
Tarta de fruta con nata, 1 pieza	360	16	GH
Tarta de limón, 1 pieza	480	26	GH
Tarta de Linz, 1 pieza	450	25	GH
Tarta de manzana con cobertura, 1 pieza	630	32	GH
Tarta de manzana y pera, 1 pieza	180	9	GH
Tarta de manzana, Burger King, 1 ración	320	14	GH
Tarta de moka con almendras, 1 pieza	360	25	GH
Tarta de nueces, 1 pieza	500	39	H
Tarta de queso con nata, 1 pieza	310	17	GH
Tarta de requesón con espinacas, 1 ración	540	21	GH
Tarta de yogur, 1 pieza	280	16	GH
Tarta inglesa, 1 pieza	310	18	CH
Tartaleta de cerezas con almendras, 1 pieza	380	18	GH
Tartaleta de fresas, 1 pieza	240	13	GH
Tartaleta con grosellas, 1 pieza	400	23	GH
Tartalini con salsa de setas, 1 ración	450	25	G
Té con 1 cucharada de leche, 1 taza	10	0,3	M
Té con 1 cucharadita de limón, 1 taza	2	0	M
Té con 1 cucharadita de azúcar, 1 taza	26	0	H
Tiramisú, 1 ración	400	18	GH
Tofu gratinado con verduras, 1 ración	360	26	PG
Torta de fresas y nata, 1 pieza	264	20	GH

VN = Valor nutricional

G = muy rico en grasas – consumir con precaución

M = muy rico en minerales – consumo preferente

B = rico en fibra – consumir cuando sea necesario

P = muy rico en proteínas – consumo preferente

H = rico en carbohidratos – consumir con moderación

V = muy rico en vitaminas – consumo preferente

T

	kcal	Grasa g	VN
Torta de fresas y almendras, 1 pieza	450	27	GH
Torta espolvoreada con azúcar, 1 pieza	330	13	GH
Tortilla a la francesa, 1 ración	210	8	GH
Tortilla berlinesa, 1 pieza	210	8	GH
Tortilla con Dip, 1 ración	175	11	G
Tortilla con jamón	440	33	G
Tortilla de 1 huevo	120	10	G
Tortilla de 2 huevos, con espárragos	240	20	G
Tortilla de patatas, 1 ración	450	23	PG
Tostada con cebolla, 1 pieza	480	34	GH
Tostada francesa	253	7	H
Tostada Hawai, 150 g	480	29	GH
Trucha al vino blanco, 1 ración	650	30	PG
Trucha asalmonada con cobertura de sal, 1 ración	260	7	PG
Trucha con mantequilla, 1 pieza, 250 g	570	15	PG
Tzatziki, 1 ración	95	2	G

W

	kcal	Grasa g	VN
Whopper con queso, Burger King, 1 pieza	710	42	GH
Whopper Doble, Burger King	870	56	GH
Whopper junior, Burger King, 1 pieza	374	21	GH
Whopper, Burger King, 1 pieza	624	35	GH
Wiener Schnitzel de ternera, 1 ración, 125 g	450	20	PG

Z

	kcal	Grasa g	VN
Zabaione, 1 ración	360	9	GH
Zanahorias glaseadas, 1 ración	185	10	GV
Zumo de naranja, McDonald's, 0,25 l	102	0,1	

V

	kcal	Grasa g	VN
Verdura con calabacín, 1 ración	190	6	B
Verdura con guisantes, 1 ración	140	7	BG
Verdura con hinojo, 1 ración	100	3	MV
Verdura con judías y maíz, 1 ración	170	3	B
Verdura salteada, 1 ración	220	16	GH
Voilauvent de hojaldre con gambas, 1 pieza	450	28	GH

VN = Valor nutricional
G = muy rico en grasas – consumir con precaución
M = muy rico en minerales – consumo preferente
B = rico en fibra – consumir cuando sea necesario

P = muy rico en proteínas – consumo preferente
H = rico en carbohidratos – consumir con moderación
V = muy rico en vitaminas – consumo preferente